D0776530

colección alandar

Ne obliviscaris

Fernando Alcalá Suárez

EDELVIVES

Dirección editorial:
Departamento de Literatura Infantil y Juvenil

Dirección de arte:
Departamento de Imagen y Diseño GELV

Diseño de la colección:
Manuel Estrada

Fotografía de cubierta:
Thinkstock

© Del texto: Fernando Alcalá Suárez
© De esta edición: Editorial Luis Vives, 2010
   Carretera de Madrid, km. 315,700
   50012 Zaragoza
   Teléfono: 913 344 883
   www.edelvives.es

Editado por Jorge Hernán Gómez

ISBN: 978-84-263-7684-8
Depósito legal: Z-2559-2010

Talleres Gráficos Edelvives (50012 Zaragoza)
Certificados ISO 9001
Impreso en España

El 0,7% de la venta de este libro se destina al Proyecto «Mejora del acceso a la Educación Secundaria de calidad en Ashalaja», que cofinancia la ONGD SED (Solidaridad, Educación, Desarrollo) como apoyo a procesos de desarrollo local en Ghana.

FICHA PARA BIBLIOTECAS

ALCALÁ SUÁREZ, Fernando (1980-)
Ne obliviscaris / Fernando Alcalá Suárez. – 1ª ed. –
Zaragoza : Edelvives, 2010
   220 p. ; 22 cm. – (Alandar ; 121)
   ISBN 978-84-263-7684-8
   1. Aventuras. 2. Mundos fantásticos. 3. Lenguaje. 4. Recuerdos.
I. Título. II. Serie.
   087.5:821.134.2-3"19"

Para Ana María Matute,
que me perdió en el Bosque.

¿Cómo es el sonido de un rumor?
¿Es acaso lo mismo que escucha el hombre
como el viento en las hondonadas
cuando se acerca la tormenta,
como el rugido de las mareas en el ocaso del temor?

WILLIAM MORRIS

Recordó aquella palabra, que más que palabra era un
siniestro alarido, mudo, surgido de sus mismas entrañas,
más aún, de las entrañas de su memoria: OLVIDO.
«Del Oeste, el olvido», rememoró, casi como el eco
de otra palabra pronunciada mucho, mucho antes.

ANA MARÍA MATUTE

Y que este piadoso rumor te informe de mi huida
y consuele tu oído. Ven, noche; acaba, día;
pues con la sombra, pobre ladrona, escaparé furtiva.

WILLIAM SHAKESPEARE

LA ISLA DE BRAN

El bote se agita cuando posas los pies y tienes que extender los brazos y ponerlos en cruz para mantener el equilibrio. Cuando lo haces, el viento te da de lleno en la cara. El barquero está subiendo tu equipaje y la tarea de mantenerse en pie y no caer al mar es más difícil de lo que parece, así que decides sentarte y esperar a que la barca comience su marcha.

La isla de Bran. No has oído hablar nunca de la isla de Bran, pero ahí está, frente a ti, con su silueta dibujándose a lo lejos. El único edificio que hay en ella se ilumina cada vez que restalla un trueno. No es una noche precisamente apacible para viajar en bote, pero no te queda más remedio. Sabes que tienes que llegar lo antes posible.

No consigues explicarte cómo has llegado a parar ahí. Lo único que sabes cuando intentas hacer frente a la maraña de pensamientos y recuerdos difusos es que estás donde tienes que estar.

También sabes que estás solo y no hay nadie a tu lado. Como si todo lo que tuvieras se hubiese perdido en el tiempo, como si todo lo que hubieras tenido se lo hubiese llevado el mismo viento que te azota.

Respiras hondo y te abrochas el abrigo hasta arriba. Es hora de comenzar el viaje. El barquero hace un gesto de asentimiento y tú se lo devuelves. Se coloca detrás de ti y comienza a remar. Si no se escucharan de fondo los truenos de la tormenta, hasta podría decirse que es un sonido agradable. Pero no lo es. No lo es, en absoluto. Jurarías que no se debe navegar en una noche de tormenta como esa. Aun así, te mantienes callado. Tú siempre te mantienes callado, a pesar de que creas que lo que tienes que decir es importante.

La barca se bambolea y te ves obligado a sujetarte a lo primero que encuentras delante. Sientes que tu estómago sube hasta la altura de tu garganta y que vuelve a bajar hasta su sitio a una velocidad de vértigo. Levantas la vista: la expresión del barquero es inescrutable. Tiene la mirada fija al frente, en la isla de Bran, como si ese fuera su único pensamiento. Le imitas, haces lo mismo; también quieres llegar cuanto antes. No te sientes seguro en medio del mar, bajo la tormenta.

Te aferras con todas tus fuerzas a la regala y cierras los ojos. La barca se mueve cada vez más rápido y temes que el barquero pierda el control. A lo lejos escuchas el estallido de un nuevo trueno y te deslumbra el relámpago que lo acompaña. Quizá la isla no esté tan lejos como crees. Respiras entrecortadamente cuando vuelves a abrir los ojos y miras al barquero. Te hace una seña para que sigas agarrándote a los bordes del bote. Notas cómo el mar se acelera por debajo de ti y te llega el olor del salitre; pero hay algo más, un olor acre que no sabes identificar. Es azufre.

Entonces, cuando otro relámpago vuelve a deslumbrarte, esta vez con mucha más intensidad, notas, sabes a ciencia cierta, que estáis debajo de la tormenta. Casi podría decirse que estáis en el ojo del huracán. Miras atrás. El embarcadero desde el que salisteis está casi tan lejos como la isla. El barquero aumenta el ritmo de sus batidas y por un momento la barca parece ir más deprisa. Pero solo es un espejismo, no puede engañarte. Es el mar el que os empuja. Crees que el barquero te dice algo, pero no puedes escuchar porque en ese momento parece haberse abierto el grifo del cielo. Durante ese instante, el sonido de la lluvia cayendo intensamente sobre ti se apodera por completo de tus sentidos. Le preguntas qué ha dicho, pero tampoco te escuchas porque el estruendo de un trueno borra tus palabras igual que si no hubieran existido. Tienes ganas de llorar.

Atemorizado, miras al cielo. La luna ha desaparecido detrás de las nubes y apenas se ve nada, a menos que sea iluminado por los relámpagos, cada vez más frecuentes. De todas maneras, no hay mucho que ver; la orilla, a tu espalda, queda cada vez más lejos y, aunque os vais acercando a la isla de Bran, esta parece impediros llegar.

Estás empapado y el frío se va colando por debajo de la ropa. Tu pelo gotea y miras hacia abajo porque la fuerza de la lluvia cayendo sobre ti no te deja levantar la cabeza. En ese momento notas un golpe mucho más fuerte que los anteriores en la embarcación e intentas mantenerte firme.

No sirve de nada. Escuchas el detonar de un trueno justo a tu lado al tiempo que el bote se eleva. Estáis en la cresta de una ola inmensa. Quieres gritar pero el miedo te cierra los pulmones. Y, entonces, durante unos segundos que parecen eternos, notas cómo la barca se detiene. Estáis arriba. Parece que el tiempo también deja de transcurrir. Das una bocanada de aire y todo regresa a su cauce. La lluvia y los truenos vuelven a colapsarse en tus oídos y los vaivenes de la barca son cada vez más fuertes. Estás seguro de que vais a caer abajo, de que vais a volcar, de que os hundiréis en el fondo.

Abres mucho los ojos, como si esa fuera la única manera de frenar tus pensamientos así como todo lo que te rodea. No sirve de nada. En pocos segundos sientes la barca desplomarse hacia la superficie rizada del agua con la misma fuerza con la que fue impulsada por la ola.

Lo último que ves antes de caer es la silueta de ese edificio negro que se levanta sobre la isla, iluminado por un nuevo relámpago.

Qué pena. Estabais tan cerca…

CUARTO
MENGUANTE

LE MAT

—¿Tú qué crees? ¿Podría ser él?

—*Je ne sais pas.* Eso han dicho las cartas.

—Tendremos que estar atentos, entonces.

—*Oui.*

Tenía los ojos cerrados y se llamaba Ash. Al menos eso estaba claro, su nombre. Le daba la impresión de que acababa de escuchar voces, pero no sabía a ciencia cierta si acababa de soñarlas o no. Sin embargo, las escuchó de nuevo, y cuando intentó abrir los ojos para descubrir quién estaba hablando, no lo logró porque los párpados le pesaban demasiado.

Las voces siguieron cuchicheando en un idioma que él no era capaz de comprender. Cuando por fin obtuvo fuerzas para levantar los párpados, vio dos figuras saliendo de la habitación donde se encontraba. Eran un chico y una chica. Ella tenía el pelo de color violín.

Sus siluetas le resultaron extrañas, como si fueran seres más altos de lo normal, distorsionados. Pero en esos momentos no le dio importancia porque veía todo lo demás borroso, desenfocado. Se frotó los ojos y se sorprendió por lo frías que tenía las manos. Estaba acostado en una cama, eso sí podía saberlo. Pero ¿dónde? No tenía la menor idea. Lo último que recordaba era haberse subido a una barca y, de pronto, la tormenta y la ola y, entonces, todo negro. Nada más.

¿Había sobrevivido a la tormenta? Al parecer, sí. Los brazos y las piernas le pesaban, y a duras penas podía mantener los ojos abiertos. Antes de cerrarlos del todo se fijó en los techos altos, blancos, y en las paredes recubiertas de paneles de madera. Después de comprobar que su cama no era la única de la habitación y que tenía sábanas blancas, se quedó dormido.

—¡Hola!

Llevaba sintiendo luz sobre los párpados desde hacía un buen rato, pero no se había animado a despegarlos. Todavía le pesaban. Sin embargo, aquella voz estridente que casi berreó a la altura de sus orejas le hizo abrirlos de golpe. Antes de que sintiera náuseas por la vista desenfocada y tuviera que ponerse la mano sobre los ojos como pantalla, Ash distinguió una sonrisa de oreja a oreja con dientes blancos, brillantes, cubierta por una gorra de béisbol.

—Llevas durmiendo casi dos días. Para que lo sepas.

Se dio la vuelta y trató de abrir los ojos de nuevo. Esta vez más despacio. Tenía delante a un chico más o menos de su misma edad, que le estaba hablando sin dejar de sonreír. Su voz, sin embargo, le llegaba desde muy lejos.

—... la tormenta. Te arrastró la corriente. Qué suerte, ¿verdad? De todas maneras, te estábamos esperando. —El chico se levantó y abrió las cortinas de un golpe. Apenas hubo diferencia, pues fuera estaba lloviendo—. Esto es la enfermería. No te has despertado desde que llegaste. ¡Tío, seguro que tragaste tal cantidad de agua que ahora tiene que saberte todo a mar y a pescado! ¡Qué asco! Soy Rudy Rountree, tu compañero de habitación. Encantado de conocerte. Bienvenido al Colegio Dumas.

Rudy le tendió la mano para saludarle y a Ash le costó darse cuenta de lo que estaba haciendo y para qué lo hacía. Supuso que debía apretársela. Lo hizo. Seguía desconcertado. Había entendido algo sobre la tormenta. La recordaba. Y sobre la corriente que le había arrastrado. Así que había sobrevivido. Quiso hablar, pero tenía reseca la garganta. Rudy se dio cuenta y le ofreció un vaso de agua que descansaba sobre la mesilla. Ash lo sostuvo con ambas manos y bebió tan rápido que el otro chico soltó un silbido de admiración.

—¡Macho, sí que tenías sed! —Se quitó la gorra y se rascó la cabeza. Tenía el pelo rubio y los ojos azules y pequeños. Por su acento, estaba claro que era escocés—. No te preocupes si no puedes levantarte; total, yo he venido aquí porque no me apetece estar en clase. Le he dicho al señor Tanaka, el profesor de Historia Antigua, que tenía que ver cómo estaba mi compañero de habitación, ¡así que te debo una, tío! —Rudy le guiñó un ojo y Ash le devolvió una sonrisa. Se incorporó y se apoyó en el cabecero. El estómago le rugió y Rudy sacó una chocolatina del bolsillo de su chaqueta—. Toma, te la puedes comer. La he robado de la alacena. No se lo digas a nadie porque, ya sabes, se supone que este tipo de chucherías solo nos las dan en Navidad o en alguna fiesta, pero yo conozco el escondite secreto.

Dejó las palabras en el aire, hinchándolas de dramatismo. Volvió a quitarse la gorra, se la puso a la altura del pecho mientras bajaba la cabeza haciendo una reverencia, y continuó:

—Lo sé. Piensas que te han puesto con el mejor compañero de habitación del mundo. No me lo agradezcas. Ya me lo cobraré. —Le volvió a guiñar el ojo mientras le sacaba la lengua y se levantó. A Ash le pareció que a aquel chico acababan de darle cuerda y que no se callaría ni debajo del agua, pero le gustaba, pues irradiaba fuerza—. Este es el uniforme del colegio. No hace falta que lo lleves escrupulosamente puesto. Mira, yo llevo la gorra. Total, ya sabes, esto es un internado y aquí no nos ve nadie. Pero, en fin —puso los ojos en blanco y cambió la voz, subiéndola un par de tonos, como si fuera a recitar un discurso que se sabía de memoria—: «las normas son las normas, y hay que acatarlas porque son normas y las normas se acatan siempre». —Rudy soltó una carcajada. Ash también—. La señora directora *dixit*. No es mala gente, no te preocupes, pero le encanta que todo haga juego con el edificio victoriano este, como si no hubiéramos avanzado en el tiempo. Pero el colegio mola, ¿eh? Tiene más de doscientos años y se escuchan ruidos extraños por todos lados. Y es enorme. —Rudy abrió mucho los ojos y se dio una palmada en la frente que resonó por toda la habitación—. ¡Ostras! ¡Es que tú no lo has visto todavía, ¿no?! ¿Te encuentras con fuerzas para levantarte? Un compañero de habitación tiene que ejercer de compañero de habitación, así que mi deber es enseñarte dónde está cada cosa. Y, además… no me apetece volver a clase.

Ash asintió porque estaba deseando levantarse de aquella cama. Ahora se sentía con fuerzas para hacerlo y, después de haber comido el chocolate, le subía un calor optimista desde el estómago.

Había sobrevivido a la tormenta y, además, había llegado a su destino. No pudo creerse su suerte y sonrió.

—Toma. Ponte el uniforme. No te preocupes, que no miro —dijo Rudy aguantándose la risa. Se dio la vuelta y cruzó las manos sobre su nuca, mientras se estiraba frente a la ventana—. Lo malo de este sitio es la lluvia. Ya no me acuerdo de cuándo vi el sol por última vez. Macho, se supone que estamos tan al norte que los días son más cortos y las noches más largas, pero es que, además, está la lluvia. Y el mar. Y, bueno, las tormentas, pero esas ya las conoces. ¿A quién se le ocurre, tío? ¡Embarcarse en una noche como esa! De locos, digo yo, de locos. Menos mal que tú y el barquero os salvasteis. Por pura suerte. Por las corrientes, porque la marea estaba muerta o algo así, le escuché decir a la directora. Has tenido suerte. Doble suerte, si me apuras —Rudy se dio la vuelta cuando escuchó cerrarse la cremallera del pantalón de Ash y sonrió—, porque tu compañero de habitación soy yo. ¿Estás preparado? —Le hizo una reverencia—. Vámonos.

El Dumas era el único edificio que se levantaba en la isla de Bran. Lo demás era un profundo bosquecillo de robles que se extendía hasta los extremos, hasta la playa del sur y hasta los acantilados del norte. Al oeste, el faro. Y al este, el espigón con el antiguo embarcadero ya en ruinas, desde donde se veía la costa. En realidad, la isla no estaba muy lejos de tierra firme, pero tenía tanta vegetación y el colegio funcionaba con tal independencia, con sus propias normas y sus propios horarios, que parecía como en otro mundo.

—Mejor que te aprendas el camino o, si no, vas a perderte. Y no voy a estar yo siempre para irte a buscar, que uno tiene una vida aquí y una reputación que mantener, ¿eh? —Rudy apoyó la espalda en una de las puertas y, después de un nuevo guiño, la abrió. El Colegio Dumas acababa de abrirse para Ash—. Es bonito, ¿verdad?

El rellano, desde donde se suponía que se podía llegar a cualquier lugar del colegio, era tan oscuro como el resto de estancias y corredores por los que pasaron. La humedad de la isla había hecho mella en las paredes de piedra y, aunque el edificio solo tenía doscientos años, parecía mucho más antiguo por la oscuridad de las rocas. La escalera de madera que se elevaba sobre el rellano crujía a cada pisada. Llevaba a los pisos superiores, donde se encontraban el aulario, los laboratorios y las demás dependencias académicas. Había una enorme cantidad de ventanas desde el suelo hasta el techo, enmarcadas en blanco, que contrastaban con las paredes de piedra y desde las que se podía ver todo el colegio y sus alrededores.

Una a una, Rudy fue mostrándole cada habitación.

Los tejados de pizarra; los árboles secos del jardín; aquella arquitectura seria y recta, de estilo victoriano; las aulas frías y algo desvencijadas, con pupitres marcados con nombres de alumnos que se habían marchado del Dumas hacía años; el camino de piedra hacia el nuevo embarcadero… Todo eso contrastaba con la calidez de los dormitorios, con sus cortinas tupidas y sus edredones blancos de plumas, que pesaban sobre el cuerpo cada vez que algún alumno se metía en la cama; o con el comedor; o con la biblioteca, con sus estanterías cargadas de libros y a punto de reventar, y sus mesas de roble que parecían más antiguas que el propio colegio; o incluso con la sonrisa perenne de Rudy, que no había dejado de hablar ni de sonreír al ejercer de guía improvisado por todo el colegio mientras Ash le seguía con las manos en los bolsillos y asintiendo a todas sus palabras.

—No te preocupes, porque las clases no son difíciles. Tenemos un tiempo obligado para estudiar, ya sabes, así que, al final, todo el mundo va a clase con los deberes hechos y no pasa nada. Aquí tenemos tiempo para casi todo. A veces da la sensación de que las horas no pasan, de que los relojes se quedan quietos. Pero, vamos, puedes estar tranquilo, que te acostumbrarás enseguida. Mírame a mí, que llevo aquí desde los siete años y tengo quince. ¡Ocho años ya, toda una vida! Pero hay gente que lleva aún más tiempo. ¿Ves a esas de ahí? —Acababan de salir al jardín interior y Rudy le estaba señalando a un grupo de chicas sentadas en corro y hablando animadamente—. Esa está en el colegio desde que tenía tres años, es como la jefa. Si le caes bien, lo tienes todo hecho. Si no, prepárate para sufrir, macho, porque todo el mundo la escucha. Maya Falkenberg. Quédate con su nombre: lo escucharás a menudo por aquí.

Rudy se volvió para mirar a la chica mientras pasaban de largo. Le sonrió, pero ella hizo como que no le había visto y siguió riendo con sus amigas. Ash se fijó en que el semblante de su compañero de habitación se oscurecía un poco, pero no dijo nada porque enseguida volvió a sonreír.

—Esas son sus amigas. No me preguntes cómo se llaman, no las distingo. Van siempre juntas, parloteando detrás de Maya, que las dirige. Nos conoce a todos y todos la conocemos a ella, no sé cómo lo hace. Supongo que tiene buena memoria: luego no saca muy buenas notas. Imagino que lo de ser la reina oficial del colegio está reñido con lo de ser empollona. No lo sé. Yo no soy ni una cosa ni la otra.

Rudy se encogió de hombros y sonrió, como dando a entender que no destacaba en nada. Arrancó una brizna de hierba seca y se la puso entre los dientes.

—Lo de sacar buenas notas se lo dejamos a esos dos de ahí. —Ahora estaban en la biblioteca y, en la mesa más apartada del fondo, Ash distinguió dos figuras, un chico y una chica, cada uno sumergido en la lectura de un libro—. Son algo raros. Están en el último curso y van siempre juntos. No se relacionan con nadie y apenas hablan. No sé, para mí que tanto estudio les ha fastidiado el cerebro o algo parecido. Van por el colegio como si todo les resbalara, como si no les importara nada más que ellos mismos. Lo que pasa es que aquí la gente los respeta, ¿sabes? Eso de ganar todos los años el Premio al Esfuerzo es lo que tiene. Y ella es guapa, ¿verdad?

Rudy arqueó las cejas un par de veces y mordisqueó la pajita que llevaba entre los dientes tratando de contener una carcajada. Ash se volvió para mirarla disimuladamente. Era guapa; de hecho, ambos lo eran. Parecía envolverlos una especie de manto brillante que impresionaba, como si estuvieran por encima de los demás. Ash pensó que, de estar en la Antigua Grecia, bien podrían ser la encarnación de dos dioses. Ella levantó la vista y le miró. Sus miradas se cruzaron por un segundo. Tenía los ojos azules y el pelo de color violín.

LA ROUE DE FORTUNE

Aquella noche Ash tuvo un sueño y se despertó inquieto, como si hubiera olvidado algo importante. La cháchara incesante de Rudy desde la cama de al lado le trajo de vuelta a la realidad y le miró con los ojos todavía hinchados por las horas de sueño y un bostezo colgándole de la garganta.

Los días en el Dumas comenzaban siempre en el comedor, donde todo el mundo se afanaba por llegar temprano para no quedarse sin sitio al lado de sus amigos. Rudy, normalmente, era de los últimos en llegar: le gustaba dormir demasiado, y Ash adquirió la costumbre de esperarle.

Esa mañana, sin embargo, el comedor estaba más vacío que de costumbre y los dos chicos se detuvieron en la puerta antes de entrar, a pesar del suculento olor a salchichas, bollos, huevos revueltos y café que les llegaba desde el fondo de la sala.

—¿Nos hemos confundido de hora, tío?

Por toda respuesta, Ash se encogió de hombros y se metió las manos en los bolsillos. Tenía demasiada hambre como para pensar. Se acomodó en el primer asiento libre y Rudy le imitó.

—¿Habéis oído? —Ash y Rudy se volvieron al escuchar la voz que les hablaba desde el otro lado de la mesa—. Maya ha sacado un sobresaliente en Historia Antigua.

—¿Maya? —Rudy se dio la vuelta y se sentó a horcajadas en la silla para mirar de frente al compañero que les estaba hablando—. ¿Maya Falkenberg? ¿La misma Maya Falkenberg que nunca ha sacado más de un suficiente?

—Esa misma.

—Macho... —Rudy soltó un silbido de admiración y se rascó la cabeza sobre la gorra que siempre llevaba—, eso sí que es una noticia. Maya Falkenberg: aparte de guapa, inteligente. —Arqueó las cejas un par de veces y sonrió mientras exhalaba un suspiro. Le dio un bocado enorme a la salchicha que había en su plato y habló con la boca llena—. No puede ser más perfecta...

—Bueno... —El chico que les estaba hablando bajó la voz y se acercó a ellos para que le escucharan mejor—. No se sabe hasta qué punto es fruto de su inteligencia o de...

—¿De qué?

—Ya sabes, Rudy, la historia…

—¿Qué historia, tío?

—¿No has escuchado nunca esa historia? ¡Si la conocen todos! ¿En qué mundo vives? —Rudy se metió un segundo trozo de salchicha en la boca y le hizo un gesto con la cabeza a su compañero para que continuara hablando. Ash escuchaba con atención—. Se dice…

—¿Qué se dice?

Al ver a Rudy tan impaciente, Ash no pudo evitar soltar una carcajada y ponerle la mano sobre el hombro a su amigo, que se había aferrado al respaldo de la silla con ambas manos hasta que los nudillos se le habían puesto blancos de la impaciencia.

—¿Qué se dice, tío? ¿Qué se dice?

—No puedo creer que no la hayáis escuchado nunca. Es una historia que ha recorrido el colegio desde que lo abrieron. Se dice que si enferma tu compañero de cuarto, inmediatamente sacas buenas notas. ¿No lo habéis oído nunca?

Ash y Rudy negaron con la cabeza.

—Pues la compañera de Maya se puso enferma el otro día. Ya no está, debe de haber vuelto a su casa. Así que… ya sabéis…

—Podrías ponerte malo tú también… —Rudy miró a su compañero de habitación con un brillo pícaro en los ojos y después le sacó la lengua—. Mi expediente lo necesita. Quizá esta noche deje la ventana abierta mientras dormimos, un resfriado se pasa en dos días y yo necesito un diez. ¿Qué me dices, Ash?

Él negó con la cabeza otra vez y los tres rieron. Aunque aquellas historias circulaban constantemente por el Colegio Dumas, nadie solía tomárselas muy en serio. No eran más que otra diversión, una manera tan buena como cualquier otra para conseguir que el tiempo transcurriera más rápido entre clase y clase.

—¿Maya Falkenberg? Maya, por favor, póngase en pie.

La profesora Hurtado, que enseñaba Lengua Española en el Dumas, sostenía un fajo de folios y los miraba sin hacer caso a sus estudiantes, hablando como siempre, con aquella voz monótona que podía llegar a matar de aburrimiento a cualquiera. Maya suspiró y se levantó. Estaba cansada. Su día estaba resultando de lo más raro.

—Tiene usted un sobresaliente. Ha hecho un magnífico examen.

Maya abrió mucho los ojos al escuchar las palabras de la profesora y tuvo que apoyarse sobre el pupitre para no caerse. ¿Otra vez? Le había ocurrido en Historia Antigua, en Matemáticas, en Física, en Latín…, en asignaturas donde ni en sus mejores sueños habría imaginado sacar unas notas tan altas. ¿Qué estaba ocurriendo?

—¿Otro sobresaliente, Maya?

Maya asintió a la chica que tenía al lado y le enseñó su examen. No recordaba haberlo hecho así. Recordaba haberlo hecho, pero no que lo hubiera hecho *tan bien*, que hubiera dado en el clavo con las preguntas y que sus respuestas fueran idénticas a las que venían en el libro en el que había estudiado.

—Sí... —respondió a su compañera de pupitre—. Eso parece...

Maya no estaba sorda y había escuchado las habladurías. Sabía de sobra que la mitad del colegio hablaba de ella, de lo que hacía, de lo que dejaba de hacer, de lo que llevaba, de lo que no llevaba. No era algo que la sorprendiera. De algún modo, le gustaba que eso ocurriese: ella misma había creado al personaje del que todos hablaban. «Si quieres sobrevivir en el colegio —solía decir—, es mejor que hablen de ti a que no lo hagan».

Revisó el examen de nuevo. No comprendía nada. Si estaba segura de no haber respondido a todas las preguntas, ¿cómo era posible que todas estuvieran rellenas y con su propia letra? Se palpó la frente. Le estaba entrando dolor de cabeza.

Por supuesto, había escuchado la historia. Llevaba escuchándola desde siempre. Decían que cualquiera sacaría buenas notas en el momento en que su compañero de cuarto enfermara, pero nunca había visto que aquello sucediera en serio, que aquella historia se hiciera realidad.

Ignoraba dónde estaba Deira, su compañera de habitación. Todo el mundo le preguntaba por ella y no sabía qué contestar. El día anterior se había puesto enferma. Y ahora había desaparecido, sin más. Debía de haber sido durante la noche. Quizá había empeorado y, como ella tenía el sueño muy profundo, no había escuchado cuando se la llevaban a tierra firme. No entendía nada, y tampoco podía hacer nada, pero se trataba de Maya Falkenberg, una institución en el colegio. Todos la estaban mirando, así que lo único que podía hacer era sonreír y aparentar que todo estaba bajo control.

Cuando terminó la clase, sus compañeros se acercaron para darle la enhorabuena. Sin embargo, ella no esperó a nadie. Sentía que las sienes estaban a punto de explotarle. Quería cerrar los ojos y poner el cuello bajo el grifo del agua para atenuar el dolor.

Fue hacia el cuarto de baño y cerró la puerta tras de sí. Apoyó la espalda en la madera vieja y se dejó caer. Le daba la impresión de que estaba dentro de un sueño.

Siempre había querido sacar buenas notas. Incluso lo dijo un par de veces en voz alta en el comedor: anunció que en el trimestre siguiente sacaría las notas más altas que nadie hubiera sacado nunca en la escuela, que ganaría el Premio al Esfuerzo, como lo habían hecho Charlotte de Gèbelin y Arnaud LeBlanc los cursos anteriores. Lo había dicho, pero sus intenciones nunca fueron serias. No le costó olvidar rápidamente sus propósitos de estudio y de superación, concentrada en otro millar de cosas que, en ese momento, parecían más importantes.

Se levantó del suelo y fue hacia el lavabo. Abrió el grifo y puso la cabeza debajo. El frescor la hizo sentirse mejor por un momento y consiguió que sus pensamientos bajaran por el desagüe, igual que el agua.

—¿Te encuentras bien?

Maya levantó la cabeza tan rápido que se sintió mareada y tuvo que volver a apoyarse sobre el lavabo. La voz se le quebró cuando fue a responder. Carraspeó y empezó de nuevo.

—Sí, no te preocupes. Sí.

—No parece que tengas buena cara.

Reconoció al instante quién le hablaba, así que se obligó a respirar despacio y se dio la vuelta. Contuvo un gemido cuando miró a los ojos de la chica a quien pertenecía aquella voz profunda con acento francés: siempre le daban escalofríos.

—Charlotte, eres tú.

Charlotte de Gèbelin estaba con los brazos cruzados, apoyada contra una de las paredes de azulejos blancos del cuarto de baño y la miraba fijamente con aquellos ojos azules que apenas solía levantar de los libros de la biblioteca. La mata de pelo de color violín le caía por encima de los hombros y no llevaba la chaqueta del uniforme.

A Maya le resultó extraño que estuviera allí, porque no la había escuchado entrar. Más raro le sonó que se hubiera dirigido a ella. Tanto Charlotte como Arnaud hablaban poco, eran muy independientes y jamás se prodigaban en los eventos sociales del Dumas.

—¿De verdad estás bien? —Charlotte se acercó a una de las pilas y abrió el grifo. Puso suavemente las manos debajo del chorro del agua y Maya se fijó en lo blancas y pequeñas que eran. Le parecía casi increíble que una chica con unas manos tan pequeñas pudiera transmitir tanta fuerza y tanto carácter.

—Solo ha sido un mareo, no te preocupes.

—Deberías cuidarte más. No es bueno estudiar tanto.

Charlotte le hablaba sin mirarla directamente a los ojos. A Maya le temblaban las piernas y seguía sintiéndose débil. No le gustaba estar con esa chica a solas porque le daba la sensación de que, incluso sin mirarla, toda la atención de Charlotte estaba concentrada en ella. Caminó hacia atrás mientras buscaba con la mano el pomo de la puerta y respiró aliviada cuando lo encontró.

—Gracias. Dejaré de hacerlo.

Charlotte no la miró cuando se fue. Siguió lavándose las manos sin prisa, levantó la vista y vio su reflejo en el espejo. Ella también tenía aspecto cansado.

—Las cartas ya han hablado —dijo al aire. Volvió a mirar su reflejo y salió del cuarto de baño.

Arnaud la esperaba en la biblioteca sentado a la mesa de siempre, sumergido bajo una pila de libros, con aquellas gafas metálicas finas y redondas que solo se ponía cuando ambos se sentaban allí mientras pretendían estudiar.

La chica pasó a su lado, le rozó el hombro con la mano para indicarle que había llegado y se sentó. Él levantó la vista del manual antiguo que tenía entre manos y le sonrió tímidamente.

—¿La has visto?

—Lo sabe. Sabe que algo no va bien.

—¿Tenían razón las cartas?

—Nunca se equivocan, Arnaud. *Tu le sais parfaitement.*

Charlotte sacó de su bolsillo una baraja de cartas de aspecto desgastado. Los dibujos estaban amarillentos y parecían llevar siglos allí. Las dispuso sobre la mesa y cerró los ojos. Después las barajó y las colocó otra vez sobre la superficie, una a una, conformando un diagrama que solo ella podía comprender.

—La Rueda de la Fortuna —anunció—. Otra vez, Arnaud. No deja de salir esta carta. El Olvido se acerca.

—¿Cuándo?

—Esta noche.

—Habrá que estar preparados. No la perdamos de vista.

—A él tampoco. No lo olvides.

—*Non.*

Al mediodía no se hablaba de otra cosa en el comedor. Las mesas se agitaban con la conversación, todo el mundo quería saber cuáles eran las notas exactas que había sacado Maya Falkenberg. Unos decían que no se recordaban notas más altas en el colegio; otros, que los profesores se las regalaban por lástima, y había un grupo que discrepaba para sostener que Maya estudiaba en la biblioteca todas las tardes. Algunos afirmaban que la habían visto colarse en la sala de estudio a altas horas de la madrugada. Se hablaba de una promesa, de que la directora le había dado un ultimátum, de que si no sacaba notas altas la acabarían echando porque sus padres ya no tenían dinero para pagar el colegio. Un grupo osado incluso se atrevió a sugerir que había hecho un pacto con el diablo, que Maya era tan ambiciosa que quería destacar absolutamente en todo.

Ninguna de estas historias era cierta. Maya lo sabía, pero por primera vez en toda su vida no pudo soportar que se hablara de ella por todos los rincones. A cada paso que daba alguien le preguntaba por los exámenes, o le contaba una nueva versión de los hechos. Había dado tantas respuestas que se sentía sin ideas. Creía que ya no sabría qué responder la próxima vez. Por eso llegó un punto en que se limitó a sonreír si la felicitaban, a asentir si le preguntaban por los exámenes, y a reírse a carcajadas si lo que le contaban tenía algo que ver con alguna habladuría sin sentido.

Se sentó en el primer asiento libre que vio cuando entró en el comedor. Había llegado tarde, todo el mundo la paraba por el pasillo y sus amigas se habían cansado de esperarla. Suspiró con la cabeza gacha, el pelo rubio cayendo sobre el plato vacío, y se dijo que tendría que aguantarlo.

Hasta ese momento lo que decían los demás no afectaba la realidad. Pero ahora sus exámenes cambiaban cada vez que alguien ofrecía una especulación más. Por la mañana, Maya había sacado un nueve en Historia Antigua, pero a aquellas horas se rumoreaba que le habían puesto un diez y que el profesor Tanaka le había escrito una nota al final felicitándola por el logro. Le echó un vistazo al examen cuando escuchó aquello y, efectivamente, ya no tenía un nueve sino un diez, y la nota escrita con rotulador rojo aparecía debajo de sus respuestas. Pensó que no había prestado suficiente atención aquella mañana, pero cuando se dijo que la profesora Hurtado le había puesto una matrícula de honor y que había anotado en un margen que llevaría a Maya al concurso de talentos y aquellas letras habían aparecido en el papel de repente, mientras ella estaba leyéndolo, empezó a preocuparse de verdad.

—¡Vaya! ¡Pero si tenemos aquí a la nueva Einstein!

Maya levantó la cabeza y tardó un momento en darse cuenta de que quien se dirigía a ella era aquel chico que siempre llevaba una gorra de béisbol, hablaba a borbotones y estaba en su clase. Nunca se acordaba de su nombre.

—Venga, confiesa, Maya, ¿qué has hecho para sacar esas notazas? Has copiado, ¿verdad? O no, has usado un transmisor minúsculo y alguien te chivaba las respuestas desde fuera. O no, ¡espera! Va a ser que… —El chico le guiñó el ojo y se quitó la gorra dejando a la vista su pelo rubio enmarañado y algo aplastado—… has estudiado, me temo.

Rudy, se llamaba Rudy.

—Dicen que eso es lo que ocurre cuando pasas mucho tiempo delante de los libros, que de pronto se alinean los astros y sacas buenas notas. Yo no me lo creo, a mí nunca me ha pasado, pero nunca debes subestimar el poder de los astros.

Maya se limitó a sonreír y a servirse un poco de puré de patatas. Estaba abrumada y la charla de su compañero no ayudaba a que se le pasara el desconcierto. Le habría gustado meterle una cucharada enorme de puré en la boca para que se callara, pero no lo hizo. Asintió, sonrió y volvió a bajar la mirada al plato, ahora lleno.

—Es que yo nunca he estudiado tanto. No sé. Me aburre, ¿sabes? —continuó él—. Me pongo a hacerlo, claro que me pongo, pero en cuanto estoy más de media hora delante de los apuntes me entra un sueño impresionante. A veces creo que se me pueden caer los ojos. —Rudy se puso las manos delante de la cara y, después, manoteando hacia delante con los ojos cerrados, hizo como que se le habían caído y no podía ver—. No, en serio, que te lo digo de verdad, ¿eh? Se me salen y van a dar encima de las páginas, y yo voy por el colegio cegato perdido, sin saber dónde ir, porque definitivamente el estudio es malo para la salud. ¿Eh? ¿Estás ahí?

Maya había dejado de escucharle hacía un buen rato y seguía sumergida en sus pensamientos, mucho más importantes que lo que fuera que le estuviese contando Rudy.

Nunca habían hablado más de dos frases seguidas. Él lo intentaba. Se acercaba a ella con su sonrisa eterna y le contaba un par de chistes, y Maya se reía, más por educación que por otra cosa. Para Maya, Rudy era una de esas personas que, si bien existían, formaban parte de una maraña difusa de caras y voces que no se había molestado en conocer. Por otra parte, el chico le parecía un payaso. Lo consideraba el payaso de la clase. Siempre estaba haciendo gracias y a ella le costaba distinguir si los demás se reían con él o de él.

Pero a Rudy le gustaba Maya. Era así desde el primer día que puso un pie en el colegio. No se lo había dicho a nadie. De todos modos, nadie le tomaba en serio, y él lo sabía. Quizá por eso hablaba tanto, para que nadie se diera cuenta de que ni él mismo se tomaba en serio sus palabras.

Al chico tampoco le importaba ser invisible para Maya. «La suerte es de los audaces», se decía; y cada mañana se levantaba con una sonrisa dispuesto a emprender su conquista. Podría ser un payaso, pero estaba seguro de que acabaría consiguiendo que ella se fijara en él. Solo era cuestión de tiempo. Y de esfuerzo.

Sin embargo, aquel día Maya parecía otra persona, estaba ausente, sumergida en sus pensamientos sin prestar atención a lo que tenía delante. Ni siquiera se fijaba en la comida, y eso que el menú incluía rosbif, la especialidad del cocinero del colegio. Todo un desperdicio si Maya lo dejaba en el plato.

Rudy le dio un codazo a Ash, que estaba sentado a su lado, y arrugó la nariz en un gesto silencioso para darle a entender que no comprendía lo que estaba sucediendo. Se estaba quedando sin palabras y eso le había pasado muy pocas veces.

Continuaron comiendo en medio de un silencio incómodo del que ya no supieron escapar, hasta que la tarde llegó al Dumas con sus clases y sus horas de estudio y sus actividades extraescolares.

Aunque todo parecía estar en calma, Maya sabía que estaba ocurriendo algo fuera de lo común. Algo que, además, no podía contarle a nadie. ¿Quién iba a creerla? ¿A quién podría decirle que sus exámenes y ella misma cambiaban a medida que surgía una nueva historia acerca de sus notas? ¿Quién iba a tomarla en serio si confesaba que había visto con sus propios ojos que todo cambiaba a su alrededor, como si las palabras de los demás tuvieran el poder de modificar la realidad?

Quiso acostarse. Encerrarse en su cuarto para que se acabara aquel día tan largo. Se intentó convencer de que todo lo que había ocurrido era efecto del cansancio, o de que Deira le había contagiado su enfermedad y ahora tenía visiones y deliraba.

Sobre la cama, con los ojos azules muy abiertos y mirando al techo, escuchó al reloj de la torre este dar una hora tras otra hasta que llegó la noche. Después percibió el murmullo de los compañeros por el pasillo. Le llegaban palabras sueltas de las conversaciones, pero prefirió no prestar atención a lo que decían, no fuera que algo más cambiara a su alrededor.

El Dumas no era un colegio pequeño. Al fin y al cabo estaba diseñado para que acudieran a él estudiantes de todas las latitudes. Tenía todas las instalaciones que cabría esperar de un internado de aquellas características y, como la mayoría de alumnos habían ingresado de niños, casi todos se conocían. No era extraño que circularan historias acerca de unos y otros, pero no pasaban de eso: historias que los mismos chicos se inventaban por divertimento. Incluso Maya había contado mil relatos improbables durante los años que llevaba en el colegio, pero nunca había visto que una historia se hiciera realidad después de escuchar las palabras que le daban forma.

Apagó la luz. Ni siquiera se quitó el uniforme. Se echó sobre el edredón de plumas y cerró los ojos.

No vio que, en el mismo momento en que lo hizo, un intenso rayo de luna refulgió a través de los cristales de la ventana de su cuarto y la iluminó, como si ese fuera su único objetivo.

A Rudy le encantaba lavarse los dientes. Echar la pasta sobre el cepillo y cepillárselos arriba y abajo, derecha e izquierda, con fuerza, con delicadeza, con sabor a menta, con espuma blanca y delante del espejo. Le sonrió a su reflejo y se hizo un gesto de conquista, como el que hacían los actores de las películas en blanco y negro a las mujeres fatales que los acompañaban, y después le sonrió a Ash apretando los dientes y estirando la boca hasta que le salieron arruguitas en el lugar donde debería haber hoyuelos.

—Limpios y preparados. Uno nunca sabe cuándo se presentará la mujer de sus sueños a darle un beso de buenas noches, ¿no crees, tío?

Ash se rio y le pegó un manotazo en la nuca a su compañero de cuarto que casi hizo que se le cayera la gorra. Sonrió a su vez al espejo y dio por concluida la tarea de lavarse los dientes por aquella noche.

Era bastante tarde. Tanto él como Rudy se habían quedado viendo una película antigua de gánsteres y detectives en la sala de recreo y apenas se veían estudiantes despiertos por los pasillos del instituto. Todo transcurría bajo la más absoluta y aparente tranquilidad.

Ash y Rudy cogieron sus enseres de aseo, se colgaron sus toallas del hombro y salieron del baño de aquella planta. Ash tenía los ojos algo rojos por el sueño y Rudy daba un bostezo tras otro mientras intentaba devolverle con la toalla a su compañero el golpe que este le había propinado minutos antes.

—Algún día voy a hacer que Maya se fije en mí, te lo juro. —Aunque Rudy jamás le había comentado a nadie lo que sentía por ella, con Ash estaba tan cómodo que se atrevió a hacer aquel comentario. De todos modos, sabía que era tan evidente su atracción que imaginó que Ash ya se habría dado cuenta.

Ash se rio, pero se detuvo en seco cuando giraron por el pasillo. Le había parecido escuchar a alguien. Miró hacia atrás y no vio a nadie, así que siguió caminando. No había dado ni tres pasos cuando volvió a detenerse. Rudy le preguntó qué pasaba, pero Ash le hizo callar con un chistido. Le preguntó si había oído algo, pero Rudy no había escuchado nada. Ash captó el sonido de nuevo, con mayor claridad que la vez anterior. Alguien le estaba llamando.

Desanduvo sus pasos como si fuera un autómata, dejando atrás a Rudy, y se detuvo delante de una habitación. Parpadeó un par de veces y volvió a escuchar la llamada. Alguien pronunciaba su nombre detrás de la puerta.

Rudy llegó corriendo y se puso a su altura. Le miró y se sorprendió ante la expresión que descubrió en su compañero. No parecía él. Tenía los ojos cerrados y el ceño fruncido. No entendía nada. Entonces lo vio: un rayo de luz muy potente que salía a borbotones por entre las rendijas de la puerta, como si alguien hubiera encendido un foco dentro de aquel cuarto. No le costó identificar el lugar en el que se encontraban. Era la habitación de Maya. Parpadeó un par de veces. Mientras lo hizo, la luz se intensificó. Miró a su compañero Ash, que dio un paso al frente y adelantó la mano.

—¡No lo hagas! —ordenó una voz que no pertenecía a Rudy—. Si lo haces, si abres esa puerta, jamás volverás a tu vida normal.

La advertencia despertó a Ash de su letargo y, de pronto, se sintió mareado, desubicado. No sabía dónde estaba. Cerró el puño, que casi tocaba el pomo de la puerta y miró hacia atrás.

Tuvo que esperar varios segundos para que sus ojos se acostumbraran a aquel haz de luz que se desparramaba a través de las rendijas de la puerta. Se dio la vuelta justo cuando alguien le apartaba bruscamente. Comprendió que había más personas en ese pasillo. Sus voces le resultaban familiares, pero no supo identificar a quiénes pertenecían.

—¿Qué estáis haciendo aquí todavía? ¡Vamos, marchaos!

Era un chico. Tenía la voz grave y les hablaba sin mirarlos, concentrado en el pomo de la puerta, asiéndolo con ambas manos y tirando de él.

—La puerta no responde, Charlotte —dijo angustiado.

La dueña de la otra voz avanzó y tiró del pomo metálico a la vez que él. El color de su mata de pelo hizo que la mente de Ash despertara y los reconociera. Eran Charlotte de Gèbelin y Arnaud LeBlanc, los estudiantes que había visto en la biblioteca el primer día.

—Es imposible. No se abre —aseguró la chica.

En ese momento la luz que provenía de la habitación cobró aún mayor luminosidad y los cuatro tuvieron que ponerse la mano delante de los ojos para que no les deslumbrara.

—¿Qué hacéis? ¿Qué ocurre ahí dentro? —Rudy aumentó el volumen de su voz para que le escucharan, porque en ese preciso instante un potente silbido amenazó con dejarlos sordos. Era como si se hubiera levantado una tempestad dentro del cuarto.

Una fuerza invisible, como la de dos imanes que se repelen, les impedía acercarse a la puerta. A cada paso que daban hacia delante eran empujados hacia atrás y la habitación parecía cada vez más lejos.

—Es mejor que no lo sepas —dijo Arnaud por encima del sonido, que amenazaba con punzarles los oídos—. Vete. Ahora.

—¡No! —chilló Rudy—. Es Maya la que está ahí dentro. ¡Esa es la habitación de Maya Falkenberg!

—Ya lo sabemos —dijeron Arnaud y Charlotte al unísono, mientras intentaban acercarse a la puerta inútilmente.

Al principio, Maya no se dio cuenta. Tenía los ojos apretados para impedir que los pensamientos la molestaran mientras intentaba quedarse dormida, y estaba demasiado concentrada en contar ovejas como para percatarse de lo que sucedía a su alrededor.

Cuando descubrió que ni contando ovejas, ni apretando los ojos, ni respirando a un ritmo relajado y tranquilo iba a quedarse dormida, decidió levantarse a beber un vaso de agua.

Algo iluminaba la habitación. Parecía que alguien hubiera encendido un foco en el exterior. Se sorprendió por no haberlo visto antes, pero cuando se sentó en la cama y miró por la ventana contuvo un gemido. Ningún foco la iluminaba. Era la luna. Estaba directamente bajo el rayo de luna más potente que había visto en su vida.

Jamás habría imaginado que la luna fuera capaz de iluminar con tanta intensidad, mucho menos en cuarto menguante. Adelantó la mano hacia el rayo de luz y se quedó sin aliento: su mano desaparecía al entrar en contacto con él. Se hacía invisible. Dejaba de existir.

Se dijo que estaba soñando, que aquello no podía ser cierto. Pensó que seguramente se había dormido hacía muchas horas y que estaba en medio de una pesadilla. Esas cosas pasaban, se decía. Pero las sensaciones eran demasiado reales. Intentó gritar. Recordó que cuando intentaba gritar o echar a correr en un sueño no podía hacerlo, así que cogió aire y soltó un chillido.

Lo escuchó perfectamente.

Se puso en pie. Estaba asustada. Caminó hacia la puerta de su cuarto sin dejar de mirar a la luna. Tenía la necesidad de salir corriendo, de huir de allí.

En el momento en que sus manos entraron en contacto con el pomo sintió una descarga eléctrica que le recorrió todo el cuerpo. Apartó la mano y se quedó mirándola. Volvió a acercarla y ya no hizo falta tocar el pomo para recibir la sacudida de la corriente eléctrica. Miró hacia atrás, hacia la ventana, otra vez hacia la luna, y tuvo la impresión de que el satélite estaba vigilándola.

El corazón le latía a la altura de la garganta y el dolor de cabeza que la había amenazado durante todo el día ganaba intensidad. Apretó los ojos. Nunca debió hacerlo. Cuando volvió a abrirlos el foco empezó a moverse con vida propia. Su luz era plateada, brillante, y lo teñía todo de un color blanquecino, fantasmal. A medida que la luz avanzaba por la habitación, Maya retrocedía asustada hacia la pared opuesta. Tenía la sensación de que la luz la buscaba, de que quería iluminarla a ella.

Su espalda chocó contra la estantería y cayeron al suelo libros y bolígrafos con un ruido sordo que Maya apenas pudo escuchar, concentrada como estaba en la trayectoria amenazante del haz de luz. La chica se movió hacia la derecha. El foco también lo hizo. Después hacia la izquierda, a su posición inicial, con la espalda apretada contra la estantería. El foco repitió el mismo movimiento. Se deslizaba lentamente por la superficie de la habitación y parecía mojarlo todo; cuando iluminaba un objeto, este se difuminaba, como si se contemplara a través de miles de ondas acuáticas que lo emborronaban.

Entonces la luz aumentó su velocidad. Maya apretó los puños. Estaba convencida de que tan pronto el foco se posara sobre ella desaparecería. Dejaría de existir.

Aquel día todo lo que tocaba había cambiado como por arte de magia delante de sus ojos. ¿Por qué no iba a repetirse el fenómeno con ella? Tragó saliva y miró al frente. El foco de luz estaba a punto de pasarle por encima. Cerró los ojos asustada y dejó de pensar. Su cuerpo se paralizó de terror y por eso no pudo ver cómo, a medida que la luz de la luna la iba iluminando, su cuerpo se desintegraba lentamente en miles de motas brillantes que se esparcían por toda la habitación como si fuera el polen de los dientes de león en primavera.

Primero, sus pies; después, sus tobillos. Maya se sentía cada vez más ligera. Notaba que, ciertamente, perdía algo de sí misma mientras la luna iba absorbiéndola.

Asustada, incapaz de mantener los ojos cerrados, los abrió de nuevo: estaba desapareciendo, su cuerpo se descomponía bajo aquella luz blanca y brillante.

El miedo le subió desde el estómago a la garganta, y la obligó a gritar con todas sus fuerzas. Gritó tan fuerte que no se dio cuenta de que algo tiraba de su camisa y la arrastraba hacia la puerta, hasta sacarla de la habitación. El sonido del portazo y su grito se confundieron tras su salida.

—¿Estás bien? ¿Estás bien?

Alguien la zarandeaba y le hablaba muy cerca de la cara, pero ella estaba completamente aturdida.

Fue Rudy quien logró sacarla de allí. Tanto él como los otros tres chicos habían escuchado sus gritos y, de pronto, la puerta quedó abierta. Ignoraban cómo había ocurrido. Ni siquiera Ash se enteró, a pesar de que su mano se había posado sobre el pomo y lo había girado. No lo recordaba, pero había vuelto a escuchar su nombre, cada vez con más fuerza, cada vez más claramente.

Había abierto la puerta mientras sus compañeros seguían de pie, concentrados en la lucha contra aquella fuerza invisible que los empujaba hacia atrás y ante la que él, extrañamente, no resultaba afectado. Quedó tan sorprendido como los demás al ver a Maya dentro de la habitación desapareciendo lentamente mientras la luz de la luna la volatilizaba en miles de motas luminosas que revoloteaban por los aires.

Solo Rudy consiguió reaccionar. Sin pensárselo dos veces, se lanzó a recogerla casi arrastrándose, avanzó por el suelo y tiró de ella. Después, Arnaud se adelantó y cerró la puerta tan fuerte como le fue posible.

—¿Qué ha pasado? ¿Qué le estaba ocurriendo a Maya? —Rudy la zarandeaba para hacerla reaccionar—. ¿Qué narices era esa luz?

—Es el Olvido. —Charlotte no se había movido de su sitio; lo había observado todo estoicamente, con una expresión imperturbable en su cara y con los brazos cruzados—. Has salvado a esa chica del Olvido.

Le hizo un gesto a Arnaud con la cabeza y ambos se dieron la vuelta. Su tarea allí había terminado. De la habitación ya no emanaba ninguna luz y todo parecía en calma. Ash observó cómo Arnaud y Charlotte caminaban, sin decir nada, hacia el piso de arriba. No pudo detenerlos, estaba inmóvil. En su mente recordaba una y otra vez lo que acababa de pasar. Él ya lo había vivido. La noche anterior. En sus sueños.

L'IMPÉRATRICE

De no ser por la enorme cantidad de nubes oscuras que aquella mañana cubrían el cielo sobre la isla de Bran, habrían visto el sol salir por el este, igual que todos los días. No regresaron a sus habitaciones. Ash y Rudy se llevaron a Maya a una de las salas de recreo y la dejaron allí, durmiendo sobre un sofá mientras hacían turnos para vigilar que estuviera bien.

No intercambiaron una sola palabra durante toda la noche. Era como si aquella luz tan intensa les hubiera robado el habla. Maya dormía plácidamente, como si nada hubiera pasado, pero se despertó agitada, nerviosa.

—¿Estás bien? —preguntó Rudy apresurado—. No te has despertado en ningún momento.

Maya le contestó que sí y se levantó, trastabillando un poco al hacerlo. Les dio las gracias a los dos chicos y se marchó aturdida sin decir nada más.

Miró por la ventana: ya había luz. Aquel día tan extraño se había terminado. No le apetecía hablar. Seguía tan asustada que no se sentía capaz de hacerlo. Solo quería olvidar.

Rudy y Ash se miraron cuando Maya se marchó de la sala de recreo y se encogieron de hombros, incapaces de llegar a ninguna conclusión.

—Yo no sé pensar con el estómago vacío —atinó a decir Rudy.

Se levantaron y se fueron directos al comedor, deseando que todo lo que habían vivido la noche anterior solo fuera un mal sueño.

El comedor tenía el mismo aspecto de siempre: las tazas humeantes de café sobre la mesa, las charlas ininterrumpidas llenando el espacio, las salchichas, los bollos, las tostadas recién hechas. El estómago de Rudy rugía como no lo había hecho nunca, y eso que, además de por no saber callar, Rudy también se había hecho un nombre en el colegio por su apetito insaciable. Corrió hacia el primer sitio que vio libre y, nada más sentarse, se sirvió de todo lo que encontró a su alcance.

—A mí es que las noches en vela me dan mucha hambre —le dijo a Ash con la boca llena—. ¿Has visto a Maya?

Ash negó con la cabeza después de buscar con la mirada a la chica por todo el recinto. No estaba. Aunque tampoco es que hubiera puesto toda su atención en la búsqueda. Parecía ausente, no era capaz de ignorar que él había soñado la noche anterior con todo lo que le había pasado a Maya, con aquella luz intensa, con Charlotte, con Arnaud. Todo lo ocurrido era el reflejo fiel del sueño. No se lo contó a Rudy; no quería que pensara que era un bicho raro, así que se limitó a imitarle: se sirvió una ración de todo lo que había sobre la mesa y regó el banquete con un chorro de café bien oscuro que lo despertara de aquella pesadilla.

Maya no desayunó. Se movía como un autómata, con las mismas rutinas de cada mañana. Aunque todo parecía normal, podía percibir en el ambiente un silencio tenso que no se veía capaz de romper. No se atrevió a entrar en su habitación; tenía miedo de que, como había estado a punto de sucederle a ella, hubiera desaparecido. Todavía no tenía muy claro lo ocurrido. Recordaba haber gritado mientras sus piernas se desvanecían en el aire, pero justo después se veía en el pasillo, sus piernas otra vez con ella, rodeada de caras que la miraban fijamente y que ahora mismo ni siquiera se veía capaz de identificar.

Fue a la primera clase sin libros para evitar entrar en su habitación. Ya era tarde cuando llegó, y todo el mundo estaba sentado en su sitio. Incluso en el suyo.

—Perdona, ¿te importa? Este es mi sitio.

No solía ser tan desagradable, pero esa mañana necesitaba que por lo menos algo fuera igual que siempre.

La chica que estaba sentada la miró fijamente, le dirigió una sonrisa afable y respondió:

—¿Disculpa? Llevo sentándome en este sitio desde principio de curso.

La chica se dio la vuelta para hablar con su compañera de pupitre, precisamente una de las mejores amigas de Maya, que siempre se sentaba a su lado en aquella clase.

—Cosette —se dirigió a ella indignada—, eso no es cierto, tú siempre te sientas conmigo. Díselo, por favor.

A Maya le resultaba ridículo discutir por un asiento como si fuera una niña pequeña, pero sentía que ese asiento era lo único que le quedaba después de lo ocurrido la noche anterior.

Cosette la miró frunciendo el ceño y después miró a la otra chica. Volvió a dirigir sus ojos hacia Maya y se encogió de hombros.

—Perdona, no te he visto en mi vida.

Maya dio un paso atrás. Jamás había visto aquella expresión en los ojos de su amiga, y eso que la conocía desde que tenían cinco años. Concluyó que le estaban gastando una broma, así que se rio. Solía defenderse de esa forma, tomándose a guasa cualquier dificultad. Al fin y al cabo, siempre lo tenía todo bajo control.

—Cos, has sido muy graciosa, pero ya está bien. Venga, chicas, dejad que me siente en mi sitio.

Cosette no tuvo tiempo de responder porque en ese momento entró el profesor Tanaka en el aula y se quedó mirando a la alumna que permanecía de pie. Maya sintió cómo se sonrojaban sus mejillas de vergüenza y decidió que era mejor retirarse por el momento, así que se sentó en el único sitio libre en la clase, al final del todo.

El profesor Tanaka pasó lista. Dijo los nombres de los alumnos uno a uno para comprobar que todos los chicos habían acudido a clase. Los mencionó todos. Al menos todos los que había en la lista.

Maya levantó la mano y se puso en pie.

—Profesor Tanaka, se ha saltado mi nombre: Maya, Maya Falkenberg.

El profesor la miró sorprendido, se ajustó las gafas, bajó la vista y revisó su lista. Revisó dos veces los apellidos de la «D», la «E», la «F», la «G» y la «H», levantó la vista de nuevo y observó a Maya.

—Lo siento, pero no apareces. ¿Eres nueva? Si es así, repíteme tu nombre, no he recibido las nuevas listas de secretaría. Eres…

Maya se quedó sin aliento. No pudo decir una sola palabra. Le fallaron las piernas y tuvo que sentarse de nuevo. Ni siquiera era capaz de parpadear. ¿Qué sucedía? ¿Por qué nadie la recordaba? ¿Por qué parecía como si nunca hubiera pasado por ahí?

Entonces se levantó y salió corriendo del aula, dejando a todos boquiabiertos. Desde luego, la actitud de la *chica nueva* resultaba de lo más rara.

De la sorpresa, Rudy y Ash se pasaron la mañana con la boca abierta. Las clases se habían sucedido una tras otra y nadie, excepto ellos, echó de menos a Maya. Ni siquiera los profesores la mencionaban al pasar lista, y su lugar aparecía ocupado por alguien que no era ella.

Esperaron encontrarla en el comedor, pero tampoco apareció allí. Parecía como si se la hubiera tragado la tierra. Rudy estaba tan preocupado que no comió. Y eso en él era preocupante ya que nunca, ni siquiera bajo la presión de los exámenes finales, dejaba comida en el plato.

—Le ha pasado algo, macho, le ha tenido que pasar algo. Tenemos que encontrarla.

Ash asintió cuando vio que su amigo dejaba sin tocar la tarta de limón que había de postre. Ambos se levantaron y resolvieron ir a la habitación de Maya. Subieron las escaleras, llegaron al pasillo y tocaron a la puerta con delicadeza. Ninguna respuesta. Rudy llamó más fuerte, pero el resultado fue el mismo. Entonces se miraron. Pensaban lo mismo: tenían que entrar aunque no hubiera nadie. Rudy adelantó la mano y giró el pomo. La puerta se abrió con un chirrido. Lo que vieron los dejó perplejos.

—No queda nada. No hay nada.

A sus espaldas, un susurro les obligó a darse la vuelta. Era Maya. Su gesto indicaba que había llorado. Tiritaba mientras estaba allí, de pie, delante de la puerta de lo que antes era su cuarto, mientras se abrazaba a sí misma para entrar en calor. Pasó por delante de ellos y entró. Los chicos la siguieron.

—Es como si no hubiera vivido aquí —dijo mirando a su alrededor—. Ha desaparecido todo. Todo.

La habitación estaba vacía, como si nadie la hubiera ocupado durante ese curso. Ninguna de las dos camas tenía sábanas, ni había libros en la estantería. El armario estaba abierto, sin ropa. La pared, antes decorada con pósteres, ahora lucía desnuda. No había nada, ni siquiera motas de polvo en el suelo.

—Tampoco aparezco en las listas de alumnos. Nadie sabe que existo. —Se dejó caer derrotada sobre una de las camas—. Ni mis amigos, ni los profesores. Nadie. No soy nadie.

Ash y Rudy no sabían qué decir. Se limitaron a mirarla como una muda compañía.

—Tuve que salir de clase, no podía soportarlo. Ni siquiera Cosette se acordaba de mí. Fui al baño y me lavé la cara. No quería llorar delante de todos. Después me calmé un poco y acudí a secretaría. Estaba desesperada. Tenía que haber alguna explicación lógica a todo lo que me estaba pasando y quise comprobar que no hubiera algún problema con las listas. Tenía que ser eso, un error de las listas. Pero la señora Norris no sabía quién era, dijo que no me había visto nunca.

Maya levantó la vista. Estaba llorando. Se cubrió los ojos con las manos.

—He estado aquí desde que cumplí tres años, ¿cómo es posible que no me haya visto nunca? ¿Cómo es posible que nadie me recuerde? ¿Qué está pasando?

Su llanto se hizo más amargo y fue incapaz de continuar.

—Yo… —Rudy se sentó a su lado en la cama y le puso el brazo sobre los hombros—. Yo sí te recuerdo, Maya. Y Ash también. Vinimos porque estábamos preocupados por ti.

—¿De… verdad? —Maya los miró fijamente—. ¿Sabéis quién soy? ¿Os acordáis de mí? Entonces sabréis qué sucede. ¿Por qué me está pasando esto? Es una broma, ¿no? Decidme que es una broma, por favor, porque no tiene ninguna gracia. Primero, los exámenes que cambiaban. Anoche… bueno, vosotros dos estabais aquí anoche, ¿no? Lo visteis todo. Y ahora… ¿Ahora todas mis cosas desaparecen? ¿Qué ocurre? Decidme, ¿qué está pasando? No entiendo nada…

Los chicos guardaron silencio. Rudy se quitó la gorra y se rascó la cabeza azorado. Ash se limitó a meterse las manos en los bolsillos de la chaqueta del uniforme y a mirarla fijamente, esperando que dijera algo más. Pero Maya no pudo continuar. Se inclinó hacia delante, volvió a ponerse las manos sobre los ojos y siguió llorando, esta vez casi sin hacer ruido.

—Charlotte… —susurró Rudy, rompiendo el incómodo silencio que se había creado en la habitación, mientras dibujaba una sonrisa en su cara—. Charlotte de Gèbelin y Arnaud LeBlanc también estaban allí. También lo han visto todo. Quizá…

Maya levantó la cara y se limpió las lágrimas. Se entusiasmó ante la lejana esperanza de que existiese alguien con una respuesta.

—Quizá ellos sepan qué te está pasando —sugirió el chico.

Aquella perspectiva hizo que Maya retomara fuerzas. Se limpió las lágrimas con el dorso de la mano y, echando otro vistazo a su habitación vacía, suspiró y siguió a aquellos dos chicos que acababan de convertirse en sus únicos cómplices, en el único asidero de realidad que le quedaba.

No les costó encontrarlos. Charlotte y Arnaud estaban en la mesa que siempre ocupaban, al fondo de la enorme biblioteca del Dumas. Parecían tan concentrados que no se habían dado cuenta de que el recién formado trío se acababa de poner delante de ellos. Rudy cogió una de las sillas y se sentó a horcajadas, cruzándose de brazos sobre el respaldo y observándolos fijamente. Ash y Maya se limitaron a quedarse de pie, en silencio. Rudy encendió una de las lámparas que había sobre la mesa y les enfocó.

—Decidnos: ¿qué fue exactamente lo que ocurrió anoche en el pasillo?

Sorprendidos, Arnaud y Charlotte levantaron al mismo tiempo la vista del libro que cada uno consultaba. No respondieron. Les miraron con desconfianza, como si no les hubieran visto nunca.

—Vosotros estabais allí. Y nosotros también. ¿Qué está pasando? ¿Por qué nadie recuerda a Maya?

—¿Maya? —Arnaud se quitó sus gafas y se masajeó el puente de la nariz. Parecía cansado. Charlotte, por su parte, volvió su vista hacia el libro. Arnaud continuó con sus preguntas—. ¿Quién es Maya? ¿Y tú? ¿Quién eres tú?

Ash y Rudy se miraron. Maya se apoyó sobre la mesa y se inclinó, aproximándose a los interrogados con aire amenazador.

—Charlotte, tú y yo hablamos ayer en el cuarto de baño. Me preguntaste si me pasaba algo. Si hasta me dijiste que no era bueno estudiar tanto. Dime qué está pasando.

La chica levantó la cabeza del libro y frunció el ceño. Quería dar a entender que se esforzaba por hacer memoria.

—Perdona, pero creo que tú y yo no hemos hablado en la vida. Y ahora, dejadnos tranquilos, *s'il vous plaît*. Los exámenes están cerca y tenemos que estudiar.

Sin decir una palabra más, Arnaud apagó la lamparita que había encendido Rudy y continuó leyendo. Maya, incapaz de soportar la anormalidad de la situación, había salido corriendo de la biblioteca. Ash y Rudy la siguieron. Charlotte y Arnaud se miraron fugazmente y regresaron a sus libros. Charlotte tenía los dientes apretados y respiraba con dificultad.

LA TOUR

Maya tuvo que acostumbrarse a su nueva vida a marchas forzadas. Los días se sucedían tal cual en el Dumas y, si no quería quedarse encerrada en su cuarto vacío, no le quedaba más remedio que fluir con ellos. Además, Rudy se había proclamado su guardaespaldas oficial y de vez en cuando lograba sacarle una sonrisa.

Al principio, fue incapaz de dormir. Cada vez que entraba en su cuarto por las noches temía que la luna volviera a asediarla; así que Ash y Rudy la acompañaban. Habían llevado sus propias mantas a la habitación de su nueva amiga, y allí montaban guardia para estar atentos por si volvía a ocurrir algo fuera de lo normal.

Tuvo que volver a inscribirse en el colegio, interpretar el papel de nueva alumna sin serlo, ver con ojos diferentes la realidad en la que había vivido desde que era pequeña y asumir su nuevo lugar en ella. Pero le dolía acercarse a sus antiguas amistades. Acostumbrarse a su nueva vida le resultaba demasiado difícil.

Maya no tardó en cambiar y ahora era una chica diferente. No solo porque el hecho de que nadie la recordara le diera la oportunidad de serlo, sino porque todo lo que estaba viviendo la llevaba a ver el mundo desde una perspectiva distinta: desde los ojos de alguien que ya no existía.

—No me había fijado nunca en la manera que tienen mis amigas de pavonearse por el colegio como si fueran las dueñas del edificio —dijo un día durante el desayuno.

—Y, además, nunca hablan conmigo —contestó Rudy con la boca llena de pastel de crema—. Lo que es una pena. Tengo una conversación muy interesante.

—Yo diría interminable —le respondió Maya poniendo los ojos en blanco e intentando disimular una sonrisa—. Sobre todo cuando se perciben trozos de pastel en medio de tus palabras.

—En ese caso, yo diría que mi conversación es *jugosa*.

Ash los observaba atentamente sin participar de la conversación. Aquella mañana se había levantado con dolor de cabeza. Sentía como si una especie de nebulosa se hubiera apoderado de su cerebro y no le dejara concentrarse.

De pronto, se escuchó un golpe en una de las mesas. Nadie supo qué había pasado en ese instante, pero al momento, todas las voces en el comedor hablaron al unísono y les llegó la información en pocos segundos. Alguien se había desplomado sobre el plato de cereales que estaba comiendo. Tampoco pasó mucho tiempo antes de que alguien justificara lo sucedido con una causa. La explicación fue corriendo de mesa en mesa y creciendo en complejidad a cada etapa:

—Dicen que han encontrado un nido de cucarachas en la despensa y que todos los cereales están en mal estado. ¿Te imaginas? ¿Tú has comido cereales? ¿Te encuentras bien?

—¿Cómo?

—¿Has comido cereales?

—No.

—Mejor, porque si los has comido no me extrañaría que te pusieras igual que el que se ha caído redondo sobre la mesa. Dicen que estaba blanco y que tenía los ojos rojos...

Charlotte y Arnaud se miraron en ese momento y, como movidos por el mismo resorte, salieron en silencio del comedor.

A lo largo del día, todos los estudiantes que habían tomado cereales durante el desayuno sufrieron problemas gastrointestinales. La historia, a su vez, se iba magnificando: unos decían que habían sido las cucarachas las que habían echado a perder los cereales; otros, que había sido la humedad de la despensa; en la clase del segundo curso se comentaba que los síntomas eran muy dolorosos (en ese momento, una chica de aquella clase empezó a sentir un terrible malestar de estómago). En el cuarto de baño de las chicas se dijo que a todo aquel que hubiera comido cereales le empezarían a salir granos por toda la cara. Aldery Reznor, estudiante de cuarto, se miró en el espejo y se vio la cara cubierta por una erupción tan encarnada y desagradable que se fue corriendo a la enfermería sin despedirse siquiera de sus amigas.

Algo parecido sucedió con Maga Stelmaren, que nada más escuchar que se le inflaría el estómago como un globo aerostático si había probado los cereales, se sintió tan llena de aire que temió salir volando por la ventana y se acostó en su cama, cubierta por trece mantas que pesaran lo suficiente como para prevenir que eso le ocurriera.

Nadie parecía darse cuenta de lo que sucedía, de tan asustados que estaban porque ellos mismos o porque algunos de sus amigos hubieran contraído la insólita enfermedad.

Sin embargo, Arnaud y Charlotte sí que eran conscientes. Desde su mesa, en la biblioteca, observaban en silencio todo lo que ocurría.

Ante un nuevo ataque de la enfermedad, Arnaud levantó la vista, se quitó las gafas, se masajeó el puente de la nariz y miró a su compañera.

—Está ocurriendo de nuevo.

—Lo sé. Me lo han dicho las cartas.

—¿Qué te han dicho, Charlotte? —susurró él colocándose las gafas de nuevo—. ¿Qué nos espera?

—Es la Torre, Arnaud. No deja de salir la Torre —Charlotte barajó de nuevo y dispuso un grupo de cartas sobre la mesa formando un hexágono. La última, la séptima, la que colocó en medio, era, efectivamente, la Torre—: conflicto, cambio, pérdida violenta. Los símbolos están claros.

—¿Qué vamos a hacer?

—Callarnos, como siempre. No podemos hacer otra cosa. Si permanecemos en silencio, nos libraremos del Olvido.

—Pero tiene que haber un modo de evitarlo, tenemos que pensar en cómo solucionarlo. Ya viste que se puede hacer algo. Ya viste lo que le sucedió a esa chica.

—Lo que le pasó a esa chica no es de nuestra incumbencia. Ahora es su problema.

—No, Charlotte, también es nuestro problema.

—Tenemos asuntos más importantes por los que preocuparnos.

—Ella ya forma parte de este asunto. Y puede que él también. No lo olvides.

—No lo hago. Pero no los necesitamos. Mucho menos a ella. Déjala olvidar, Arnaud. Es mejor así. Lo sabes. No es necesario que sufra.

Los rumores crecían y se incrementaban, pero Ash y Rudy no les prestaban atención. Tenían suficiente con intentar que Maya se adaptara a su nueva vida. Además, no era la primera vez que se desataba una epidemia en el colegio. Una vez hubo un virus que tuvo a la mitad del alumnado en la cama con fiebre. Otra vez había sido la picadura de un mosquito la que había hecho que la otra mitad cogiera una enfermedad que se prolongó durante varios días.

Arnaud y Charlotte, por el contrario, sabían perfectamente qué estaba ocurriendo en el colegio. Sabían que la luna, en su última noche de cuarto menguante, estaba dispuesta a transformar el Dumas en un campo de batalla.

Ellos habían vivido situaciones como aquella infinidad de veces. Desde hacía tiempo habían visto cómo la luna ejercía su influencia sobre sus compañeros sin que ninguno se percatara de los efectos que podía llegar a tener el astro sobre ellos.

Arnaud no era capaz de ignorar las voces a su alrededor. Los rumores que iban desgranando cada historia por todo el colegio se repetían una y otra vez en su cabeza, haciendo que le fuera imposible concentrarse. Por mucho que Charlotte no estuviera de acuerdo, sentía que era su deber encontrar una solución y que esta vez no podría quedarse de brazos cruzados.

Por eso pasaba cada hora libre que tenía en la biblioteca: buscaba respuestas. Necesitaba saber por qué la luna se comportaba de aquella manera en la isla de Bran. Le urgía descubrir por qué todos los alumnos del colegio parecían condenados al Olvido.

Quería salvarlos.

Sin embargo, llevaba investigando desde hacía mucho tiempo y no había conseguido nada.

Además, se sentía cobarde, casi ruin, porque cada vez que la luna amenazaba con atraer la tormenta del Olvido, ambos huían y se escondían sin decirle nada a nadie. Charlotte solía mantenerse estoica, impasible. Renegaba de buscar soluciones, miraba para otro lado y, al día siguiente, fingía que no había ocurrido nada. Prefería mantenerse fría y distante como si esa fuera la única solución.

Pero a él no podía engañarle. Por debajo de aquella coraza de acero, Arnaud sabía que ella estaba sufriendo tanto como él.

Charlotte se guardó la baraja en la mochila. Las cartas habían hablado. Jamás se equivocaban.

Aunque Arnaud se negara, sabía tan bien como ella que lo único que podían hacer para evitar las consecuencias de la tormenta del Olvido era esconderse. No podían arriesgarse a olvidar ni a ser olvidados. Él no comprendía que ella ya había perdido las fuerzas, que no tenía esperanzas de salvación.

Durante la cena, el comedor mostraba un ambiente casi fantasmal. Los murmullos quedaban solapados por el ruido de platos, vasos y cubiertos y el ambiente estaba enrarecido; nadie se atrevía a dar una voz más alta que la otra. Lo que aquella mañana había sido motivo de multitud de conversaciones, chismorreos y rumores, ahora solo invitaba a guardar silencio. Más de la mitad de los estudiantes del colegio estaba en la cama enfermo, pero cada uno con una sintomatología diferente. Solo tenían una cosa en común: habían desayunado cereales.

Arnaud y Charlotte comían en silencio. De vez en cuando dejaban escapar una mirada cómplice. Ellos no temían a la comida: sabían que no era la causa de aquella enfermedad.

Ajeno a todo, Rudy devoraba lo que tenía en el plato, contento por no tener que pelearse con sus compañeros de mesa por la comida. Aquella noche tenía de sobra: montañas de puré de patatas, toneladas de chuletas de cerdo, miles de guisantes al vapor, litros y litros de zumo de arándanos... Rudy comía y bebía con ansia mientras Ash y Maya le observaban divertidos e intercambiaban comentarios jocosos.

Las risas duraron poco. De pronto, Ash sintió una descarga eléctrica que le recorrió la columna vertebral, desde la nuca hasta las piernas. El dolor le obligó a arquear la espalda y levantar la cabeza.

En ese mismo momento, su mirada se cruzó con la de Charlotte.

Ella también había recibido esa descarga. Primero en la cabeza, como un frescor intenso y doloroso, el mismo que sentía al tomar un helado demasiado deprisa. Después, el calambre le fue bajando por la espalda con la velocidad de un rayo hasta hacerle levantar la mirada, como destinada a cruzarse con la de Ash.

Apartó la cabeza instintivamente y miró por la ventana. La luna, apenas una fina hoz de filo plateado, estaba llegando a su cenit.

El momento estaba cerca.

Ash se levantó de golpe, tiró la silla donde estaba sentado y se llevó ambas manos a las sienes. Apretó los ojos. Un quejido le reptó por la garganta. Sentía la sangre bombear en sus venas con tanta fuerza que llegó a pensar que su cuerpo acabaría saltando por los aires igual que una bomba atómica.

Cayó al suelo de rodillas. Sus dos amigos intentaron levantarle, pero su cuerpo estaba rígido y fueron incapaces de moverle, y mucho menos de conseguir que saliera de su boca alguna palabra inteligible.

Se hizo un círculo alrededor de la escena. Por mucho que Maya y Rudy intentaran apartar a quienes los rodeaban, resultaba imposible frenar a todos los que estaban acercándose. Parecían una masa viscosa y deforme que acabaría cerrándose sobre ellos. Abrumado, Rudy cerró los ojos. Estaba seguro de que, en cualquier momento, dejaría de respirar y sucumbiría aplastado por la multitud. Sin embargo, sintió de pronto que alguien le tiraba del brazo y abrió los ojos de nuevo.

—Vamos. Venid.

Era Arnaud. Había logrado entremeterse entre el cerco de estudiantes y le tendía la mano.

—Coged a vuestro amigo y seguidnos. Corred. No nos queda mucho tiempo.

No hizo falta que Maya y él intercambiaran una sola palabra. Se miraron y ambos cogieron a Ash por debajo de los hombros. Parecía encontrarse sin fuerzas para caminar por sí mismo.

El solo hecho de querer salir de allí fue suficiente para que la turba de estudiantes que los estaba acosando reaccionara y formara un pasillo para permitirles el paso.

Mientras tanto, la luna, en su cenit, comenzó a emitir un brillo blanquecino y potente que se colaba por las ventanas, que se intensificaba segundo a segundo y del que nadie en la habitación fue consciente.

Solo Charlotte pudo verlo, como si la luna en el cielo fuera lo único que existiera para ella.

—Ha llegado.

Cerró los ojos y apretó los puños.

En ese momento se levantó una corriente de aire en el comedor. Charlotte no había visto nunca una tormenta de cerca, jamás había estado en el ojo de un huracán, pero pensó que tenía que ser algo parecido a lo que estaba viviendo.

El viento le agitaba el pelo y la falda con violencia, pero ella se mantenía firme. Cuando Arnaud y los demás se acercaron, les hizo una seña para que la siguieran. No les quedó más remedio que ir en contra del viento, que había tomado el cariz de un tifón invisible. Tenían que salir de allí.

En cuanto escaparon del comedor, las puertas se cerraron de golpe y los compañeros que se habían quedado dentro comenzaron a gritar.

—¡Vamos! ¡Por aquí!

—¿Qué es lo que está pasando? —gritó Maya.

Nadie le respondió.

Avanzar por el pasillo no fue fácil. Era como caminar en medio de una tormenta de nieve, como luchar contra todos los elementos posibles. Progresaban muy lentamente y los ojos les lagrimeaban. Arnaud y Charlotte iban a la cabeza; Maya y Rudy, detrás, sosteniendo a Ash. Parecía que el viento que les azotaba había cobrado vida y que su único propósito era impedirles el paso. Silbaba como un tornado. No podían ver nada, no podían escuchar nada. Ni siquiera estaban seguros de que el camino que habían tomado llevara a algún lado. Todo a su alrededor parecía ajeno, inhóspito. Pero no se detenían.

Hasta que de repente, después de una ráfaga más fuerte que las anteriores, el viento dejó de soplar.

El silencio que llenó la habitación hizo que sus oídos comenzaran a silbar. Era un sonido desagradable, similar al que hace un globo de helio al deshincharse. El sonido aumentó de volumen progresivamente, hasta ocupar todo el espacio libre en sus oídos, impidiéndoles pensar.

En ese momento, un rayo de luz plateada, intensa, casi sólida, atravesó los cristales de una ventana del pasillo. Parecía el mismo tipo de luz que emitían los faros por la noche, pero su origen no estaba en un faro: estaba en la luna.

—¡No podemos quedarnos aquí! —gritó Arnaud señalando el rayo de luz—. ¡Tenemos que seguir avanzando!

No habían dado un solo paso cuando un nuevo rayo de luz plateada irrumpió en el pasillo con tanta fuerza que podrían haber jurado que rompía los cristales de la ventana que acababa de traspasar.

—¡Vamos! —ordenó Arnaud.

Maya y Rudy echaron a correr tan rápido como pudieron detrás de él. No era fácil: Ash pesaba demasiado. Charlotte, en cambio, no lo hizo. Se quedó de pie con los puños apretados, como hipnotizada por aquellos rayos de luz incandescente y brillante.

Estaba cansada. Hacía mucho tiempo que había perdido toda esperanza de vencer al Olvido. Para ella, huir de él no tenía ningún sentido. ¿De qué servía? Solo le había traído sufrimiento. Había luchado contra él por Arnaud, porque no quería ni podía dejarle solo. Pero ahora que él había encontrado nuevos compañeros, había dejado de preocuparle.

Arnaud miró hacia atrás y vio que Charlotte permanecía inmóvil. Supo al instante lo que quería hacer la chica, por eso no se lo pensó dos veces y tiró de ella.

—No puedes hacer eso —dijo casi sin voz.

—No tiene sentido, Arnaud. No te hago falta.

—Sabes que sí. No puedo hacer esto sin ti.

—Déjame, Arnaud, por favor. No puedo más.

—Tienes que poder, Charlotte, tienes que poder. Por mí.

Las lágrimas inundaron los ojos de la chica, que siguió sin moverse. Sus pensamientos giraban a toda velocidad, mientras se debatía entre sucumbir a los rayos de luz que entraban por la ventana o apretar la mano que le tendía su amigo.

Al final cedió.

Corrió con los ojos cerrados, sin soltar la mano de Arnaud, y por eso no pudo ver lo que ocurrió a continuación sino cuando era demasiado tarde: un haz de luz más intenso que los demás entró a través de la ventana que tenían enfrente. Se escuchó un sonido de cristales rotos y el rayo comenzó a dirigirse hacia ellos.

—¡Está moviéndose! —gritó Rudy—. ¡Esa mierda de rayo brillante está moviéndose!

No les dio tiempo a pensar; los haces de luz que habían entrado hacía escasos segundos también comenzaron a moverse en su dirección. Los estaban buscando.

—¡Tenemos que bajar las escaleras! ¡Al sótano! ¡Al sótano! —gritó Arnaud con todas sus fuerzas, sin soltar a Charlotte.

Los rayos de luna parecían haber cobrado vida y seguían de cerca cada paso que daban. A veces no les quedaba más remedio que rodearlos porque parecían tratar de interponerse en su camino. Maya reconoció el fenómeno: era la misma situación que había vivido noches atrás, cuando otro rayo intentó hacerla desaparecer. Pero borró aquel pensamiento al instante. Su amigo Ash dependía de ella y no podía caer presa del pánico.

—¡Tenemos que impedir que nos toquen! No sabemos qué puede pasar si eso ocurre.

Tras cada rincón, tras cada columna, un nuevo rayo hacía su aparición acompañado del ruido de invisibles cristales rotos. Uno hacia la derecha, otro hacia la izquierda. Tenían la sensación de que la galería por la cual corrían se iba haciendo cada vez más larga. Sin embargo, cuanto más avanzaban más habilidad ganaban para evitar los haces de luz, y en una última y desesperada carrera llegaron al final del pasillo, donde Arnaud les tenía reservada una sorpresa.

Sacó del bolsillo una llave pequeña y abrió con ella una puerta escondida tras una esquina.

—¿Adónde vamos? —preguntó Rudy—. No me vendrás ahora con que vuestro escondite secreto es una alacena…

Cuando Arnaud introdujo la llave en la cerradura y la giró, se abrió ante ellos un pasillo oscuro y estrecho que terminaba en unas escaleras de caracol antiguas, de piedra, que parecían no haber sido transitadas nunca.

—¡Vamos! Por aquí estaremos a salvo.

Rudy arqueó una ceja pero los siguió. Al comprobar que todos habían traspasado el umbral, Arnaud cerró la puerta tras de sí.

Después del vendaval de emociones y sentimientos, de ruidos y latidos presurosos de corazón que habían vivido instantes atrás, al caminar bajo aquel techo reducido y estrecho del pasillo en penumbra sintieron que todo lo que conocían había desaparecido y que solo quedaban ellos sobre la faz de la tierra. No había más que silencio. Un silencio tan solo roto por el eco que hacía resonar sus pisadas por la estancia y que les ponía los pelos de punta.

—¿Dónde estamos?

—Debajo del colegio —respondió Arnaud, que ahora ayudaba a Rudy a sostener a Ash porque Maya parecía a punto de desfallecer.

Pocos metros más adelante, el pasillo por el que bajaban se abrió como un abanico lleno de recovecos y escondites dando lugar a una sala amplia: estaban en una cueva. Pero ¿qué hacía una cueva debajo del colegio?

Arnaud daba pasos enérgicos, seguro de hacia dónde debía dirigir a sus compañeros. Sus pisadas resonaban con mayor intensidad a medida que se adentraban en la cueva. Se escuchaba el murmullo del agua y, aunque no había luz allí debajo, sus ojos debían de haberse acostumbrado a las tinieblas, porque eran capaces de distinguir los contornos de las estalactitas y estalagmitas que presidían aquella cueva desde mucho antes que se hubiera construido el colegio sobre la isla de Bran.

—Este es el único sitio del colegio adonde no llega la luz de la luna.

Las paredes repitieron aquella palabra, «luna», una y otra vez hasta que el sonido desapareció en la distancia. Maya se sobresaltó. Aunque era consciente de que había sido el eco, le dio la sensación de que la palabra había sido pronunciada cada vez por una voz distinta.

—No te asustes. Aquí se repite incluso el sonido más imperceptible. La isla está hueca.

—¿Hueca?

El eco volvió a repetir aquella palabra en todas direcciones y Maya se estremeció de nuevo. Su voz se distorsionaba en miles de murmullos distintos que hablaban al mismo tiempo y que se superponían entre sí.

—El colegio está construido encima de estas cuevas. Creemos que alguna vez no fue un colegio, sino otro tipo de edificio. Al fin y al cabo lleva siendo el Dumas solo doscientos años y en la estructura hay elementos que parecen mucho más antiguos. A lo mejor esto era una isla de contrabandistas o de piratas. —Arnaud señaló un pasillo desde donde provenía un hilo de luz—. ¡Por allí!

Era difícil caminar sobre la superficie resbaladiza de la cueva. Después de girar por un pasillo más estrecho que los demás, se habían dado de bruces con un riachuelo que corría veloz entre las rocas. El sonido de la corriente se sumaba al de sus pasos y al de sus palabras como si tuviera vida propia.

Incapaz de sobreponerse a lo que acababa de ocurrir en el comedor, Rudy avanzaba cabizbajo. No había abierto la boca desde que habían entrado en la cueva y se limitaba a cuidar de Ash. Sin embargo, hubo algo que llamó su atención: al marchar con la vista fija en sus propios pasos, se dio cuenta de que el agua sobre la que caminaban estaba brillando. El riachuelo emitía un leve resplandor amarillento que dotaba a toda la cueva de una frágil luminosidad.

Cuando fue a abrir la boca para preguntarle a Arnaud el porqué de aquel brillo, este adivinó sus pensamientos y anticipó:

—Es por la composición química de las rocas de aquí debajo. Probablemente tengan un componente que haga brillar el agua de esta manera —explicó con tono académico—. En realidad no caminamos sobre un riachuelo. Esto es agua de mar. Ahora veréis por dónde entra.

—Vosotros… —Maya se adelantó y se puso a la altura de Arnaud. Charlotte seguía la comitiva sin decir una sola palabra—. Vosotros habéis estado aquí antes… ¿verdad?

—Cada vez que la luna amenaza con su fulgor venimos aquí. Como acabamos de hacer hoy. Como… como hicimos la otra noche.

Maya contuvo un gemido. Arnaud acababa de mencionar la última noche en que sintieron el fulgor de la luna. ¿Se refería a la noche en que ella fue su víctima? Sintió un escalofrío intenso al pensarlo. ¿La recordarían Arnaud y Charlotte también a ella?

—¿Entonces?

—Sí. Te mentimos en la biblioteca.

—¿Por qué? —Rudy, que se había unido a la conversación, no daba crédito.

Charlotte avanzó unos pasos y se puso frente a ellos. Los miró antes de hablar, sopesando sus palabras. Frunció los labios y se pasó la mano por el pelo, disfrazando su preocupación con aquel gesto de desdén.

—No es de vuestra incumbencia.

Maya la fulminó con la mirada. Por culpa de lo que había ocurrido aquella noche lo había perdido todo. Era incluso como si ya no fuera ella misma. Nadie la recordaba, no era nadie.

—¿Cómo te atreves?

Charlotte la miró amenazante y se dio la vuelta, ignorando su reacción.

—Mirad —dijo Arnaud.

Ante ellos, un gran arco de piedra se abría al mar. La superficie estaba en calma, no había ni una sola ola, como si el tiempo se hubiera detenido. La luna, en su cenit, era una fina curva plateada.

Habían ido a parar a los acantilados del lado norte de la isla. Se encontraban en alguna de las cuevas que permanecían semiocultas bajo los barrancos y a las que nadie se atrevía a bajar.

Arnaud señaló el edificio del colegio, perfectamente visible desde donde se encontraban.

La luna quedaba exactamente por encima de él y lo alumbraba como si aquella fuera su única función. Su luz ondeaba sobre el colegio y lo cubría por completo. Lo teñía de un color blanquecino y apagado que, de vez en cuando, cobraba intensidad. Aquella luz producía el mismo efecto óptico que el que creaba un objeto al caer al agua, desatando miles de ondas concéntricas que se desperdigaban por toda su superficie.

La imagen, bella y sobrecogedora a la vez, era digna de ser reproducida en un cuadro. Pero justo antes de que alguno de los chicos pudiera comentar algo acerca de lo que contemplaban, un sinfín de rayos de luz plateada salió despedido desde cada una de las ventanas. Quedaron deslumbrados por unos instantes. Parecía que dentro del edificio se hubiera desatado una tormenta eléctrica.

Después, todo quedó a oscuras y en silencio.

LE PENDU

Ash apretó los ojos al sentir la luz del sol colarse entre las cortinas de su cuarto. Le dolía la cabeza, tenía la sensación de no haber dormido y sentía las piernas y los brazos pesados. Escuchó el despertador a lo lejos y deseó que no fuera el suyo, que el que atronaba con tanta insistencia perteneciera a los estudiantes de alguna habitación contigua.

—¡A la mierda con el despertador!

Al otro lado del dormitorio, Rudy lanzó el ruidoso aparato contra la pared.

Dejó de sonar inmediatamente.

El chico se volvió a arropar con el edredón de plumas y pretendió seguir durmiendo. Sin embargo, unos golpes en la puerta se lo impidieron. Hizo como que no escuchaba y supuso que Ash haría lo mismo, ya que no le había escuchado moverse.

Cuando los golpes en la puerta insistieron con más fuerza, Rudy soltó un improperio. Quien estuviera llamando no parecía dispuesto a detenerse; así que se levantó a abrir la puerta en calzoncillos, tropezando con todo lo que había a su paso mientras se quejaba malhumorado de su compañero, que seguía durmiendo plácidamente.

—¡Rápido! —escuchó decir desde el otro lado.

Rudy se quedó de piedra cuando descubrió que era Maya quien había estado llamando a la puerta. Hablaba tan rápido que no era capaz de entenderla.

—Para el carro, por favor —le dijo Rudy con cara de sueño—. No me entero de nada.

—¡Bajad al comedor! —ordenó ella, impaciente—. Os espero allí.

Maya hizo amago de salir corriendo hacia el piso inferior pero se detuvo a medio camino y volvió a dirigirse a Rudy, que aún seguía de pie bajo el quicio de la puerta con legañas en los ojos, el pelo revuelto y una mano aferrada al pomo.

—Por cierto, bonitos calzoncillos.

Se echó a reír y salió corriendo escaleras abajo. Rudy dio un portazo y dejó escapar unas cuantas maldiciones. No entendía por qué sus calzoncillos de corazones de colores le hacían tanta gracia a su amiga.

Habían regresado al colegio nada más despuntar el alba. Hasta que la luna no quedó medio oculta detrás de los primeros rayos de sol no se atrevieron a volver. Ninguno había sido capaz de hablar ni de dormir después de que el edificio estallara en aquel fulgor. El silencio que acompañó a la detonación fue tan asfixiante que quedaron sobrecogidos y con la sensación de que no existía nadie más aparte de ellos sobre la isla de Bran. Como si se encontraran fuera del mismo tiempo.

Durmieron apenas un par de horas, por eso Rudy despertó a Ash con cuidado. A pesar de que su amigo había recuperado la conciencia durante la noche, temía que se encontrara demasiado débil por lo ocurrido en el comedor.

Le zarandeó un poco y Ash abrió los ojos. Rudy arqueó las cejas varias veces mientras fruncía los labios en una pregunta muda. Ash sonrió y se incorporó. Eso fue suficiente para que Rudy soltara una sonora carcajada, le palmoteara la espalda y le metiera prisas. Maya les esperaba.

El comedor estaba lleno de estudiantes. Aquel día los alumnos del último curso tenían un examen de Astronomía y casi todos habían aprovechado hasta el último minuto para repasar, por lo que habían bajado tarde a desayunar y pensaban quedarse allí ojeando sus libros hasta que tocara la campana de la torre este, la que indicaba el comienzo de las clases.

—¿No hay nada que os parezca extraño? ¿No os habéis dado cuenta todavía? —les preguntó Maya cuando tomaron asiento a su lado. Ambos negaron con la cabeza. No tenían la menor idea de en qué tenían que fijarse. Rudy se sirvió un tazón enorme de leche—. ¿No? Mirad a vuestro alrededor con atención, por favor.

Rudy estuvo a punto de replicarle que con el estómago vacío era incapaz de pensar, pero cuando fue a coger el paquete de cereales para echarlos en la leche, echó un vistazo a lo que le rodeaba y cayó en la cuenta.

El comedor estaba lleno de estudiantes. Exactamente igual que la mañana anterior y que todas las mañanas antes de esa. ¿Qué hacía allí todo el mundo? ¿Cómo era posible que todo estuviera tan tranquilo después de lo que había ocurrido por la noche?

Recordaba las luces, el tifón invisible, los gritos. ¡El comedor tendría que estar destrozado! Sin embargo, allí estaban todos, comportándose de un modo tan normal que el chico se preguntó si lo que había sucedido horas atrás no era producto de un sueño. Hasta los compañeros intoxicados el día anterior estaban desayunando tan contentos. No faltaba nadie.

—Pero… —Rudy estaba tan sorprendido que continuó echándose cereales en el tazón a pesar de que este rebosara y de que se estuviera formando una montaña azucarada sobre la mesa.

—Es increíble cómo sois los chicos… —Maya le arrebató la caja de cereales de las manos mientras ponía los ojos en blanco—. No puedo creer que no te hayas dado cuenta hasta ahora. Esta mañana casi no me atrevía a bajar, y tú…

—Pero ¿qué? Pero ¿cómo? —Rudy no salía de su asombro—. ¿Qué hace aquí todo el mundo? ¿Entonces no ha pasado nada? ¿Hemos alucinado? —miró el tazón lleno de cereales, como si el desayuno tuviera la culpa de las alucinaciones—. ¿Lo hemos soñado todo?

—No tan rápido, vaquero. —Maya adelantó el brazo como si fuera un guardia de tráfico y Rudy levantó la mirada—. Escucha atentamente.

Los chicos le hicieron caso y prestaron atención a las conversaciones a su alrededor. Las charlas eran de lo más variado. Unos hablaban de la película que habían visto en la sala de recreo la noche anterior; otros, de los inminentes exámenes; en la mesa que tenían a su derecha, las antiguas amigas de Maya hacían comentarios sobre chicos y aunque Rudy estuvo tentado de seguir escuchando, el manotazo que le dio Maya en la nuca le trajo de vuelta a la mesa.

Su amigo la miró con aire amenazador.

—Ahora verás —advirtió—. ¡Eh, Aldery!

La chica que estaba en la mesa de enfrente le miró extrañada. No había hablado nunca con él.

—¿Qué les ha pasado a tus granos? —le espetó Rudy.

Maya abrió mucho los ojos y suspiró contrariada. Concluyó que difícilmente se podía llegar a tener menos tacto y menos cerebro.

Por toda respuesta, Aldery Reznor le lanzó a Rudy un bollo que le dio de lleno en la cabeza. El chico se sentó satisfecho.

—Pues no, no tiene ni medio grano. Ayer mismo escuché que le habían salido tantos por toda la cara que se tuvo que acostar. ¿Qué narices está pasando?

—Eso es lo que yo quiero saber. Es como si el día de ayer no hubiera existido. Como si no hubiera pasado nada. Nadie lo recuerda.

Los tres quedaron en silencio. Rudy aprovechó para meterse una cucharada enorme de cereales en la boca.

—Entonces, no… no están envenenados, ¿verdad? —dijo con la boca llena—. Es que yo tengo hambre…

Maya y Ash se encogieron de hombros y Rudy siguió comiendo. No tenían la menor idea de lo que estaba ocurriendo, pero si algo tenían claro es que nada de lo que habían vivido era un sueño.

Arnaud y Charlotte tenían los modales más elegantes del colegio y aquella mañana desayunaban con la tranquilidad de todos los días. Cuando cogían un pedazo de pastel de zanahoria o cuando sostenían la taza de té parecía que llenaban la habitación con su presencia. Su forma de moverse, la caída de ojos de ella, o la forma tan sutil que tenía él de frotarse el puente de la nariz, eran gestos que la mayoría de alumnos trataba de imitar con escasos resultados.

No necesitaban palabras para comunicarse entre sí, incluso las rehuían. Una mirada, un gesto, bastaban para que el uno entendiera qué quería decir el otro.

Se comportaban con tal hermetismo que cualquier alumno habría pagado por descubrir sus secretos. Sin embargo, a pesar de la atracción que ejercían, ese halo de misterio los mantenía alejados de todo y de todos.

No eran descorteses ni maleducados. Al contrario, nunca daban una voz más alta que otra, nunca llamaban la atención por no guardar las formas y, si alguien se dirigía a ellos, aunque respondieran con frialdad, atendían siempre cualquier petición.

Ella era la presidenta del club de debate; él, del de ciencias. Los dos eran miembros fundadores del comité de presidencia del Dumas y de la mayoría de organismos de estudiantes que hacían funcionar los engranajes del colegio. Los profesores confiaban ciegamente en ellos, incluso más que en algunos de sus colegas. Parecía que llevaban allí desde siempre y que resultaban indispensables para la vida en el Dumas. Pero, precisamente por eso, por estar en todos lados, daba la sensación de que no estaban en ninguno. La frialdad que los caracterizaba los convertía en sombras, meros fantasmas que lo oteaban todo desde la distancia.

—¿Te importaría pasarme un bollo, *s'il te plaît*, Arnaud?

Charlotte removía el azúcar que acababa de echar en su té. El pelo color violín le caía por los hombros y estaba enfrascada en la lectura de un libro.

Arnaud hizo lo que ella le pidió. Su mano rozó levemente la de la chica al poner el bollo sobre el plato.

Maya, Ash y Rudy los observaban desde la otra punta del comedor. Durante el desayuno habían tomado una decisión: hablarían con Arnaud y Charlotte. Estaban convencidos de que sabían más de lo que aparentaban y Maya, por su parte, no estaba dispuesta a vivir en la ignorancia.

Arnaud levantó la vista del plato al ver que se acercaban. Debajo de la mesa le dio una suave patada a Charlotte para atraer su atención y esta le miró. Ambos se levantaron al unísono. Con modales exquisitos, se disculparon ante sus compañeros de mesa por abandonarlos y, con paso seguro pero sin prisas, se dirigieron hacia las puertas del comedor. Maya echó a correr tras ellos.

—¡Esperad!

Ya en el pasillo, Arnaud y Charlotte se giraron al mismo tiempo. Él se cruzó de brazos; ella inclinó la cabeza y descansó la mano derecha sobre la cadera en una coreografía defensiva perfectamente estudiada.

—¿Por qué nos rehuís? —les preguntó Maya al alcanzarlos—. Queremos saber… necesito saber qué está ocurriendo.

—Ya te lo dije —le respondió Charlotte con displicencia—. No es de vuestra incumbencia. Deberíais hacernos caso y volver a vuestra vida normal.

—¿Nuestra vida normal? —Maya levantó la voz y dio un paso al frente—. A mí no me queda nada, ¿qué vida normal?

—Recupérala.

—Te crees muy lista, ¿verdad? —Maya apretaba los puños mientras hablaba—. Siempre dando órdenes, siempre hablando en claroscuros. ¿Cómo quieres que recupere mi «vida normal» si ni siquiera soy la misma, si los que me conocían ya no me recuerdan?

—Los recuerdos son ambiguos, Maya. Los nuevos pueden sustituir a los que ya tenías. Crea tu nueva realidad.

Y dejando al trío con la palabra en la boca se fueron caminando hacia las aulas, sin intención alguna de volverse de nuevo por más que Maya gritara sus nombres.

L U N A
N U E V A

LE JUGEMENT

Era natural que los rumores camparan a sus anchas por los pasillos del internado. A nadie le preocupaban. Los días resultaban muy largos y las habladurías, los chascarrillos y las historietas acerca de unos y otros se convertían en el entretenimiento perfecto. A veces los rumores eran murmuraciones maliciosas; a veces, simples mentiras; y en ocasiones, historias tan exageradas que nadie era capaz de creérselas.

Sin embargo, cada vez que Rudy, Maya o Ash percibían los síntomas de algún cotilleo, miraban hacia otro lado. No querían saber nada, no querían escuchar nada. Rudy, literalmente, se tapaba las orejas con las manos para no oír.

Pero ni siquiera el más grande de los esfuerzos servía para sortear lo inevitable. Cuando llegaron al comedor aquella mañana, varios días después de que a Maya hubiese intentado engullirla el Olvido, se había desatado un nuevo rumor y no había nadie en el Dumas que no estuviera al corriente.

—¿Lo habéis escuchado? —No habían hecho más que sentarse a la mesa para desayunar cuando Adhara Phoenix, la estudiante que ya la ocupaba, pronunció aquellas palabras con aire misterioso—. Alguien ha conseguido los exámenes finales y los está vendiendo.

Ash cruzó una mirada con Maya y ambos asintieron. Acababan de convertirse en cómplices de aquel rumor. ¿Cuántas veces habrían hecho lo mismo sin darse cuenta?

Maya había intentado hablar del peligro de los rumores y el Olvido con los profesores. Fue lo primero que hizo después de que Charlotte y Arnaud la ignoraran. No tuvo éxito. El profesor Tanaka le dijo que era una fantasía imposible, que en la historia del Colegio Dumas jamás había ocurrido algo similar. Lo mismo le indicó la profesora Hurtado, convencida de que los chismorreos no tenían tal poder: «Las palabras ordenan la realidad —dijo—, no la crean. Es imposible que modifiquen lo que nos rodea».

La situación desesperaba a Maya. Nadie le hacía caso. Ni siquiera los adultos. ¿Cuántos recuerdos habrían desaparecido por culpa de los rumores? ¿Cuántas cosas se habrían olvidado?

Estaba sufriendo en carne propia la dolorosa realidad del Olvido y se había propuesto que nadie más repitiera esa tragedia. Empezaba a obsesionarse. Había cambiado completamente. Si antes sus preocupaciones se limitaban a conservar su posición de alumna popular y a poner en marcha las más variopintas tendencias, ahora vivía centrada en los rumores y sus consecuencias. Estaba siempre alerta.

A Rudy, en cambio, todo aquello le divertía en lugar de incomodarle. Nunca había logrado sentirse parte del colegio. Su carácter alegre e irresponsable siempre había impedido que le tomaran en serio. Picoteaba de grupo en grupo y, aunque todo el mundo contaba con él cuando se trataba de diversión y carcajadas, nadie le recordaba cuando surgían problemas, nadie le consideraba un verdadero amigo. Él mismo, en su fuero interno, se definía como una carcajada fácil, como un chiste en la punta de la lengua. Sabía que lo suyo no era solucionar los problemas sino retrasarlos.

Ahora, sin embargo, no se sentía así. Desde la llegada de Ash al colegio sentía que formaba parte de algo y eso le hacía levantarse cada día con una sonrisa todavía más amplia en la cara. Tenía un amigo, uno de verdad, que le acompañaba a todos los sitios y con el que podía contar. Y que, además, le pasaba las patatas fritas que le sobraban.

También tenía cerca a Maya, que siempre había sido la chica de sus sueños y que ahora le necesitaba. Reconocía que esa idea le hacía un poco egoísta, pero no podía evitar alegrarse: a Maya no le quedaba más remedio que contar con él.

—¿Y quién vende los exámenes?

Al escuchar a su amiga, Rudy agitó la cabeza y salió de su ensimismamiento. Se había perdido parte de la conversación, pero, por lo que había podido captar, llegó a la conclusión de que si alguien le vendía los exámenes probablemente salvaría el curso. Ni siquiera se planteó que lo que les estaba contando Adhara fuera un rumor. Así que se sumó a la conversación con interés renovado:

—Eso, eso. ¿A quién tenemos que acudir para salvar nuestros preciados traseros de un suspenso seguro?

—No se sabe, se hace llamar el Vengador Enmascarado. Hay un cartel firmado por él en la sala de recreo de la segunda planta. Como le pillen se le va a caer el pelo.

—Pero ¿dónde podemos encontrarle? —Maya no quería dar por zanjada la conversación. Quería saber más, *tenía* que saber más.

—Dicen que los vende en el cuarto de baño de los chicos de la tercera planta —Adhara se levantó, se colgó su mochila roja al hombro con obvia prisa por llegar a clase y echó a correr. Después se dio la vuelta y les gritó:

—¡Nadie le ha visto todavía!

Tras esas palabras, Rudy sintió que un estremecimiento sacudía su cuerpo en una especie de vuelco violento, para después quedar tan ligero como una pluma. Una descarga eléctrica le había recorrido la espina dorsal desde la cabeza a los pies. No consiguió decidir si la sensación era molesta o agradable.

Sintió un cosquilleo que le picaba en la punta de los dedos. Apretó los puños para zanjarlo y cerró los ojos al mismo tiempo. Cuando los abrió ya no se encontraba en el comedor, al lado de sus amigos, sino que estaba de pie sobre uno de los inodoros del cuarto de baño de la tercera planta.

Frunció el ceño.

—Houston, tenemos un problema —dijo en voz alta.

Cuando Rudy desapareció de su lado, Maya y Ash se quedaron boquiabiertos. Un momento estaba hablando y, de pronto, se había desvanecido. A Maya se le subió el corazón a la garganta y apretó con fuerza el brazo de Ash, que acababa de dejar caer todos sus libros, paralizado por la sorpresa.

—¿Qué…? —La garganta se le secó de golpe y tuvo que carraspear para poder seguir hablando—. ¿Qué ha pasado, Ash? ¿Dónde está Rudy?

Ash se encogió de hombros y se agachó a recoger los libros del suelo de manera instintiva, con la mente nublada, incapaz de hablar o pensar.

—¿Ha…?

Cuando el chico se puso en pie, Maya volvió a apretarle el brazo. No quería decirlo, no quería que las palabras salieran de su boca y se hicieran realidad. O aún peor, que sus palabras se hicieran realidad precisamente por salir primero de su boca. No pudo evitar hacerlo. Aunque doliera, no podía darle la espalda a la realidad.

—¿Ha desaparecido?

Intercambiaron una mirada de complicidad, se levantaron de la mesa donde estaban sentados y echaron a correr para buscar a Rudy.

Pero no habían hecho más que salir al pasillo cuando algo atrajo la atención de ambos.

—¡Tíos! ¡No os vais a creer lo que me ha pasado! —La voz de Rudy les llegó desde las escaleras que descendían desde el piso superior. A los pocos segundos su silueta apareció bajando por las escaleras como una exhalación—. ¡Qué fuerte, colegas!

Quedó sin aliento cuando llegó a la altura de sus amigos. Tuvo que inclinarse hacia delante y poner las manos sobre las rodillas para recuperarlo.

—He aparecido de pronto en el baño. En el de la tercera planta. Ha sido increíble, tíos. Sentí cómo me deshacía trocito a trocito y cómo volvía a formarme en otro sitio. Como una disolución de esas que estudiamos en clase de Química. Ha sido increíble, como si fuera El Rondador Nocturno y me teletransportara por arte de magia. ¡Pero lo más fuerte no es eso, tíos! ¡Mirad!

La mochila de Rudy, normalmente llena de envoltorios de chicles y caramelos, papeles arrugados, restos de comida y cientos de bolígrafos mordisqueados, guardaba un fajo de folios ordenados, escritos a ordenador y con el escudo del colegio en la esquina superior izquierda. Ash y Maya no tuvieron que examinarlos durante mucho tiempo para darse cuenta de lo que eran.

—¡Son exámenes! ¡Tengo todos los exámenes del curso en mi mochila! ¡Voy a sacar un sobresaliente! Que tiemblen los empollones: Rudy se acerca...

Maya se irguió y le miró fijamente.

—Eso será si llegas a la semana de exámenes, ¿no?

—¿Cómo? —Rudy levantó la cabeza de los folios de exámenes y frunció el ceño—. ¿A qué te refieres?

—Que sacarás un sobresaliente si no desapareces antes.

—Pero...

—Lo mismo me pasó a mí aquel día, Rudy. ¿O acaso crees que yo había estudiado tanto como para sacar un sobresaliente con Tanaka? —Maya puso los brazos en jarras sin dejar de mirarle—. No, Rudy. Aquel día, cuando me levanté, todo el mundo hablaba de mis notas y los exámenes cambiaban delante de mis narices. Hoy están hablando del Vengador Enmascarado que vende exámenes en el cuarto de baño, Rudy. Hoy están hablando de ti.

—No tiene por qué pasarme —tanteó Rudy, haciendo uso del optimismo que guardaba para ocasiones como aquella—. Que te haya pasado a ti no quiere decir que vaya a sucederme exactamente lo mismo a mí. ¿Verdad, Ash?

Su compañero de cuarto no respondió. Se limitó a meterse las manos en los bolsillos y a dejar que Maya le hiciera entrar en razón.

—Bueno. —Maya sonrió con un poco de malicia, segura de lo que ocurriría a continuación—. Hagamos una prueba.

Se aclaró la garganta y dijo con voz clara:

—Alguien vende exámenes en el cuarto de baño de la tercera planta.

Rudy quiso replicar, pero cuando intentó hacerlo sintió su cuerpo descomponerse una vez más en miles de partículas y volvió a aparecer sobre el mismo inodoro en el que había estado no hacía muchos minutos. Contrariado, salió corriendo del cuarto de baño. Al bajar las escaleras se dio de bruces con Maya, que le mostraba una sonrisa de satisfacción. No hizo más que poner un pie en el pasillo donde estaban sus amigos, cuando Maya repitió:

—Alguien vende exámenes en el cuarto de baño de la tercera planta.

Rudy volvió a aparecer sobre el inodoro de siempre y comenzó a preocuparse. También empezó a enfadarse, porque le daba la sensación de que Maya se reía de él.

—Pero ¿tú estás loca? —le gritó al tiempo que lanzaba la mochila a sus pies cuando llegó abajo—. ¡Podría haberme pasado cualquier cosa!

—Lo único que puede pasarte por ahora es que suba alguien a comprarte alguno de los exámenes. —Hizo una pausa y bajó los ojos hacia la mochila—. Pero no le servirá de nada porque mañana…

Miró a Rudy a los ojos mientras bajaba la voz. Le daba miedo expresar aquellos pensamientos en voz alta y quería que su amigo supiera que lo hacía solo porque se preocupaba por él:

—… mañana lo olvidará.

—¿Qué? —Rudy dio un paso atrás. Sintió las palabras de Maya igual que si le hubiera dado un bofetón—. No tiene por qué. Esta noche no hay luna.

—¿Y qué? ¿Quién te ha dicho a ti que el Olvido solo llega las noches de luna, Rudy? No tenemos ni idea. No sabemos qué está pasando, ni por qué está pasando, ni nada. No sabemos nada. Pero…

—Pero ¿qué, Maya?

—Pero estoy segura de que ellos saben algo —dijo, refiriéndose a Arnaud y Charlotte—. *Ella* sabe algo y no quiere decírnoslo. Prefiere que estemos en tinieblas. Quiere que… olvidemos.

Aquellas palabras hicieron que el estómago de Rudy diera un nuevo vuelco. Por primera vez fue consciente de lo que podía ocurrirle. Desaparecería. No pudo ni tragar saliva. Se le hizo un nudo en la garganta que lo único que dejó pasar fue una bocanada de aire con sabor a lágrimas.

—Tú no… —le dijo a Ash, que se había mantenido en silencio y con el semblante ensombrecido—. No dejarás que me pase, ¿no? Somos amigos. No quiero desaparecer. No dejarás que me pase, ¿verdad?

LE DIABLE

Aquel día Rudy descubrió que no podía manejar el tiempo a su antojo. Cuanto más lento quería que transcurrieran las horas, más rápido pasaban; cuanto más tarde deseaba que algo sucediera, antes parecía ocurrir.

Se pasó el día en el cuarto de baño, cansado de que cada vez que alguien mencionara al misterioso vendedor de exámenes, él se esfumara de dondequiera que estuviera, y apareciera siempre sobre aquel inodoro que estaba empezando a odiar.

Muy pocos estudiantes se habían acercado a verle. Y cuando alguno lo había hecho, él había negado tajantemente tener los exámenes en su poder, por mucho que ansiara descubrir cuánto dinero estaban dispuestos a pagar sus compañeros para conseguirlos.

No le importaba quedarse sin saberlo. Habría hecho lo que fuera con tal de que aquel rumor que le tenía de protagonista no se hiciera realidad. No quería desaparecer en el Olvido en cuanto se pusiera el sol.

Ash se quedó con él y le llevó la cena al cuarto de baño: un emparedado de jamón con mucha mostaza y un vaso enorme de zumo de arándanos para acompañar. Tuvo el detalle de añadir dos bolsas de patatas fritas. Rudy siempre decía que los nervios le abrían el apetito, a lo que Ash solía responder que pocas cosas en la vida se lo quitaban, y ambos acababan riéndose. Aquella noche no se rieron.

—¿Hay alguna novedad? —Maya se escabulló dentro del cuarto de baño de los chicos y Rudy no pudo evitar preguntarle—: ¿Se sabe algo?

—No se habla de otra cosa. —Maya se apoyó en la pared que había frente a él y se dejó caer al suelo dejando escapar un resoplido de frustración—. Te has hecho famoso. Aunque nadie sabe realmente que eres tú quien los tiene, claro. Solo se habla de que alguien lo hace.

—¡Qué caro es el precio de la fama! —Rudy puso los ojos en blanco mientras le daba el último mordisco a su emparedado y trató de forjar una sonrisa que le salió un poco torcida—. Qué pena que nadie vaya a pedirme un autógrafo mañana.

—No bromees, Rudy —le reprendió Maya preocupada.

El plato de Arnaud seguía intacto sobre la mesa. El chico miraba por la ventana. Aquella noche no había luna, pero él estaba intranquilo. El Olvido se estaba volviendo cada vez más agresivo y se llevaba a más personas. No tenía la menor idea de cuánto tiempo más podrían aguantar sin hacer nada salvo guarecerse de sus ataques.

Todos los alumnos del Dumas perdían algo de sí mismos cada vez que llegaba el Olvido y él no podía evitar pensar en ellos. Sus compañeros no desaparecían. Al menos no físicamente, pero perdían sus recuerdos, sus vivencias, sus nexos… Y también perdían los demás, todos los que tenían algo que ver con ellos. Bajo la luna desaparecían relaciones, amistades, sentimientos…

Arnaud sabía muy bien que su esencia era lo que sus recuerdos decían de él. No quería perderlos por nada en el mundo.

Charlotte le miró expectante. Él le sonrió y le hizo un gesto con la cabeza, indicándole que no le ocurría nada, que solo estaba pensando.

Cuando terminaron de cenar, salieron al rellano. Como de costumbre, acudirían a la cueva para protegerse. Sin embargo, al final del pasillo, cuando deberían haber girado hacia la izquierda, Arnaud giró decidido al lado contrario y subió las escaleras sin mirar atrás, sin comprobar si Charlotte le seguía o no.

Desde abajo, ella le miró. Conocía demasiado bien a su amigo como para sorprenderse por lo que acababa de hacer. Ambos habían escuchado el nuevo rumor que se había desatado y sabían que aquella noche tendría consecuencias: alguien desaparecería bajo la tormenta del Olvido. Esta vez Arnaud no estaba dispuesto a que pasara.

—¿Adónde vas? —le preguntó ella.

—Al cuarto de baño de la tercera planta.

—No pasa nada, ¿no?

Rudy sonrió tímidamente al hacerle aquella pregunta a Maya. Era noche cerrada desde hacía un buen rato y no se le ocurrió una manera mejor para romper el pesado silencio bajo el que se encontraban.

—Todavía no podemos estar seguros.

Maya miraba al cielo casi sin parpadear a través del ventanuco cuadrado que se abría en aquel cuarto de baño. Aún sentía escalofríos al recordar el foco de luz que había intentado tragársela hacía varias noches en su habitación, y no podía relajarse. No quería que a él le ocurriera lo mismo.

Rudy sonrió al descubrir la expresión preocupada en la cara de su amiga. Verla así, tan angustiada, con el semblante tan serio, hacía que se le hinchara el pecho de orgullo y que le dieran ganas de reír a carcajada limpia. Sentía como una explosión de algodón de azúcar en el estómago cada vez que la veía preocuparse por él. Creía que a su lado no podía ocurrirle nada. Tampoco iba a consentir que a ella le sucediera algo malo. Maya era una damisela, una princesa de cuento de hadas, y él tenía que ser el caballero que monta raudo sobre su caballo para salvarla del peligro.

Se ajustó la gorra sobre la cabeza, carraspeó y la miró con aire jocoso.

—Estás asustada, ¿eh?

Maya le miró, sorprendida por el tono que acababa de emplear.

—¿Asustada? —Parpadeó un par de veces—. No. En absoluto. Solo estoy preocupada. No quiero que nadie vuelva a olvidarme, eso es todo.

Rudy volvió a sonreír. A pesar de su intranquilidad por ser el objeto de aquel rumor y correr el riesgo de desaparecer, le gustaba que Maya le prestara atención.

—Estás preocupada —le repitió con una sonrisa colgada de la comisura de los labios—. Y es por mí. ¡Estás preocupada por mí!

Maya arrugó la nariz y le lanzó una mirada furibunda. De todos modos, no pudo evitar sonrojarse.

—Eres… Eres incorregible, Rudy.

—Gracias —respondió mientras se ponía en pie y se estiraba—. Yo creo que ya hemos esperado bastante. No hay luna esta noche, así que no va a pasar nada. Además —bostezó sonoramente con la boca muy abierta—, me estoy muriendo de sueño. Mi cama me está gritando desde la habitación. ¿No la oyes? Me está llamando. Me echa de menos, y yo a ella.

Dio un salto y abrió la puerta. Ash le miró intrigado desde el otro lado del cuarto de baño. Había salido con la excusa de hacer guardia y vigilar que nadie entrara allí, aunque, en realidad, lo había hecho porque sabía que a su amigo le vendría bien pasar un tiempo a solas con Maya.

—Nos vamos a la cama, macho. Estoy que me muero. No me tengo en pie.

Ash no pudo responderle porque en ese momento sintió un siseo en los oídos, un rumor sordo. Podía jurar que alguien susurraba su nombre. Estuvo tentado de preguntarle a Rudy si lo escuchaba, pero evitó hacerlo para no preocuparle. Decidió que su imaginación le estaba jugando una mala pasada.

Pero no era su imaginación. Alguien le estaba llamando, una voz de cristal que no dejaba de pronunciar su nombre. Podía escucharlo claramente: «Ash». Lo oía. «Ash». Le decía.

Tuvo que cerrar los ojos porque los susurros se acababan de convertir en un runrún incesante que escuchaba cada vez más alto. Le estaban hablando. Alguien le pedía que hiciera algo, pero él se resistía. Era algo que no quería hacer, algo a lo que se negaba.

Mareado, apoyó la espalda contra la pared. Sus piernas le fallaron. Había reconocido la voz que le hablaba. Por eso le sonaba como una voz de cristal: podría haber sido la voz de su reflejo en el espejo. Era su propia voz.

Rudy se dio la vuelta. Maya le imitó y ambos corrieron hacia Ash. Tenía los ojos cerrados, no podía mantenerse en pie y le corrían gruesas gotas de sudor por la frente.

Se quedaron a medio camino porque Ash se levantó de golpe y abrió los ojos. Estaban completamente negros. No se distinguían ni los globos oculares, ni el iris, ni la pupila. Sus ojos mostraban una superficie negra y brillante. «La luna nueva —pensó Rudy—. La luna nueva en los ojos de Ash».

Maya tragó saliva y dio un paso atrás.

—Algo no va bien, Rudy.

Él asintió, pero cuando fue a abrir la boca para responderle, se encontró con los ojos de su amigo mirándole fijamente y sintió que se perdía en ellos. No podía apartar la mirada. Aquellas esferas negras le estaban llamando, repetían su nombre una y otra vez.

Entonces dio un paso adelante. Los ojos le ordenaban que se acercara y él no podía hacer otra cosa más que obedecer, llegar hasta ellos y dejarse mecer por su oscuridad.

Maya gritó cuando comprendió qué estaba ocurriendo. No había luna en el cielo, pero ella acababa de verla: estaba en los ojos de Ash.

Arnaud y Charlotte escucharon su grito desde la distancia. No hizo falta que dijeran nada. Se miraron y echaron a correr escaleras arriba. Arnaud llegó primero, casi sin aliento.

Maya estaba agachada en el suelo, a punto de llorar. Le había entrado pánico y parecía bloqueada. Arnaud avanzó lentamente hacia ella. Charlotte le gritaba desde detrás para que no lo hiciera y se mantuviera al margen, pero él la ignoró y saltó hacia los chicos.

Rudy, aún inmóvil, como hipnotizado, observaba a Ash levantar un brazo.

Cuando la mano de su amigo estuvo a punto de apoyarse contra su cuerpo, recibió un fuerte empujón que le tiró al suelo. Arnaud se había interpuesto entre los dos para bloquear con su hombro la peligrosa caricia de Ash.

Antes del frío no sintió nada, solo la mano que rodeaba su brazo. Pero el contacto dio paso a una gélida sensación que le heló por completo las entrañas. Un frío que dolía casi tanto como la soledad del Olvido. Arnaud intentó zafarse, pero no pudo. Ash apretaba con una fuerza extraordinaria.

El frío se fue extendiendo. Le congeló la mano, siguió hasta los dedos y los inmovilizó. Avanzó desde el antebrazo hasta la frontera del codo y fue reptando hacia su hombro. Arnaud sintió el movimiento ascendente de aquella gélida sensación en cada poro de su piel. Cerró los ojos y gritó de dolor. Cayó de rodillas, pero Ash no le soltó.

Volvió a gritar al ser consciente de que estaba a punto de desaparecer, y cuando abrió los ojos se percató de que su brazo estaba difuminándose, de que sus dedos se estaban volviendo transparentes y de que casi podía ver a través de ellos.

Un nuevo grito surgió en la distancia, pero Arnaud no identificó a su autor. Pensó que podía tratarse de Charlotte. Intentó separarse una vez más, pero resultaba imposible. Estaba pegado a Ash con la misma fuerza con que la Tierra y la Luna se repelen. Le miró. Aquellos ojos negros despedían un fulgor tan lóbrego que habrían podido hipnotizarle. Le atraían, le llamaban, sentía que estaban allí para hacerle desaparecer. Pero no quería olvidar ni ser olvidado. Y aun así, parecía imposible no sucumbir.

Volvió la vista hacia su mano. Casi no quedaba nada de ella. Y después seguiría su brazo. Y el resto de su cuerpo. Desaparecería en el Olvido.

Sintió que tiraban de él. Tanta fuerza tuvo el movimiento, que lo llevó a recuperar el control de sus pensamientos. Miró hacia atrás y encontró a Charlotte arrodillada en el suelo. Le sujetaba por los hombros y tiraba de él. Su gesto se veía descompuesto por el esfuerzo.

La chica dijo algo que él no entendió. Rudy y Maya también se agacharon y se colocaron junto a Charlotte para ayudarla. Los tres tiraban. Habían comprendido que la mano de Ash era la culpable del fenómeno que se operaba en el cuerpo de Arnaud.

Pensó que él debía ayudarles, pero no supo cómo. Tan solo se le ocurría una posibilidad: se concentró en sus recuerdos, en aquella mañana, en quién era, en lo que quería, en lo que deseaba, en sus sueños más imposibles y, sobre todo, en la cara de Charlotte. A ella menos que a nadie quería olvidarla.

Su esfuerzo no daba resultado. Por mucho que los demás tiraran, él casi podía escuchar el silencio, el pesado silencio del Olvido. Cada vez pensaba con menor claridad, y la sensación física de que sus pensamientos comenzaban a difuminarse de la misma manera que lo hacía su brazo se hacía evidente. Y ese iba a ser solo el principio. Después desaparecería el resto de su ser.

De pronto, aquella sensación que amenazaba con helarle desapareció. Abrió los ojos y vio que Ash acababa de derrumbarse sin sentido en el suelo. Arnaud intentó respirar pero no pudo hacerlo, todavía se encontraba agitado. Miró hacia atrás, hacia Charlotte, y la vio borrosa. Como él, tenía lágrimas en los ojos.

Entonces, movido casi por la inercia, se miró el brazo. Tanto su mano como la mitad del brazo habían desaparecido. No había nada, absolutamente nada, después de su codo. Como si alguien le hubiera arrancado la mano.

Su sorpresa fue mayor cuando descubrió que la sentía. Que, al agitar los dedos, al cerrar el puño y mover la muñeca, sentía su mano y su antebrazo, aunque no pudiera verlos. Habían desaparecido.

L'EMPEREUR

Ash abrió los ojos y se encontró en medio de una escena grotesca: Rudy y Maya le miraban como a un extraño, y los acompañaban Arnaud y Charlotte. No entendía nada. ¿Qué había ocurrido? Lo último que recordaba era haber salido del cuarto de baño.

Asustado, dio un paso atrás y frunció el ceño. Le dolía la cabeza. Le pesaban los párpados. Se llevó las manos a los ojos y se los apretó con fuerza. No sintió ninguna mejoría.

Entonces fijó la vista y lo vio. Arnaud estaba tendido en el suelo, con gesto desencajado. Al final de su brazo derecho, donde tenía que estar su mano, no había nada.

Donde antes había dedos, solo quedaba aire. Donde antes estaba la palma, con sus líneas y un par de manchas de tinta de bolígrafo azul, ahora no había nada.

Charlotte miraba a su amigo con los ojos desorbitados, parecía incapaz de reaccionar. Todos permanecían en silencio.

Intrigado, Ash miró a Rudy. Él le devolvió la mirada, pero no su mirada de siempre, llena de jovialidad y buen humor. Esta vez era oscura, desconfiada. Ash no se atrevió a hablar.

Rudy avanzó. Quería saber cómo estaba Arnaud, pero se arrepintió a medio paso. La situación le resultaba irreal. No dejaba de hacerse preguntas: ¿le habría pasado a él lo mismo que a Arnaud si Ash le hubiera tocado? ¿Habría desaparecido? ¿Era eso lo que les sucedía a quienes caían en manos del Olvido?

Se le hizo un nudo en el estómago y sintió cómo le afloraban las lágrimas, pero se contuvo para no llorar delante de Maya. Además, se había salvado. No tenía motivos para entristecerse. Entonces levantó la vista y miró a Ash.

Allí estaba, de pie, con aspecto confuso. Temblaba y el sudor le recorría la frente. Sus ojos habían recuperado su aspecto habitual. El iris era otra vez marrón oscuro. Rudy suspiró. No sabía qué pensar. No le cabía en la cabeza que su mejor amigo hubiera intentado acabar con él, hacerle desaparecer. Sintió un escalofrío y agitó la cabeza para alejar aquellos pensamientos.

—*Mon Dieu!* ¿Estás bien, Arnaud? ¿Estás bien?

Charlotte tenía sujeto a su amigo de los hombros y le zarandeaba como si le fuera la vida en ello.

—Creo… —Arnaud carraspeó—. Creo que sí.

—¡Tu mano! ¿Qué ha pasado?

Arnaud se miró el brazo inacabado y gimió de espanto. Movió los dedos. Sentía que estaban allí, aunque no pudiera verlos. Estaba seguro de ello, pero, al mismo tiempo, recordó que era habitual que cuando a alguien le amputaban un miembro de su cuerpo pudiera sentirlo. Se estremeció.

—No... No lo sé.

Aunque los ojos se le estaban llenando de lágrimas, hacía un esfuerzo sobrehumano por no llorar. Era consciente de haber perdido su mano y la mitad de su brazo. Sin embargo, también era consciente de que había tenido suerte: conservaba sus recuerdos. Intentó tranquilizar a Charlotte con una sonrisa para restarle importancia a lo que había ocurrido.

—Pero no pasa nada...

Charlotte se levantó airada. Su mata de pelo castaño, casi del color de un Stradivarius, se agitó mientras lo hizo. Dio un par de pasos hacia delante. Después hacia atrás. Murmuró palabras en francés que nadie comprendía y apretó los puños.

—*Ne dis pas de sottises*, Arnaud!

Estaba triste y enfadada. No comprendía que se hubiese arriesgado para salvar a alguien a quien apenas conocía, que no se hubiera limitado a mantenerse al margen. Le enfadaba terriblemente que Arnaud ahora estuviera dispuesto a convertirse en un héroe y pretendiese salvarlos a todos.

Pero también estaba enfadada consigo por no haber actuado, por no haber intentado convencerle de que se escondieran en la cueva, porque no había sido lo bastante fuerte para protegerle. Estaba cansada de tener miedo. Estaba cansada de ser tan débil.

Arnaud levantó la vista y vio que Charlotte lloraba. Inconscientemente, levantó el invisible brazo derecho para limpiarle las lágrimas.

Lo esperado habría sido que al llegar a la altura de la cara de Charlotte no hubiera sentido nada, que el vacío que llenaba el final de su extremidad se extendiera al vacío de no poder tocar aquello que más quería. Pero sintió la cara de Charlotte, la humedad de sus lágrimas y la suavidad de la piel de sus mejillas. Lo sintió todo, como si su mano siguiera en el lugar de siempre.

Dio un respingo y separó el brazo. No esperaba experimentar aquella sensación.

Charlotte parpadeó, perpleja. ¿Había sentido la mano de Arnaud sobre su rostro o el simple deseo de sentirla había provocado aquella impresión? Le miró a los ojos y comprendió que no había sido un espejismo porque Arnaud también estaba estupefacto.

—*Qu'est-ce...* ¿Qué es esto, Arnaud? ¿Es tu... tu mano?

La chica sintió que la cabeza le daba vueltas y no se lo pensó dos veces cuando bajó ambas manos a la altura del brazo de Arnaud, hacia el vacío que había dejado el Olvido. ¡La mano estaba allí! ¡Y el resto del brazo! Pasó sus dedos por entre los de él y consiguió tocarlos, aunque no verlos. Volvieron a cruzar sus miradas y Arnaud sonrió.

No había perdido la mano. Arnaud no pudo evitar las lágrimas. Entrecruzó sus dedos con los de Charlotte y los apretó con fuerza.

Ella hizo lo mismo. La escena resultaba incluso cómica. Parecía que le estuviera dando la mano al aire, pero allí estaban sus dedos, ella podía sentirlos tan finos y largos como siempre. Era la mano de Arnaud. Reconocería su tacto incluso en el fin del mundo.

Charlotte reía entre lágrimas. Volvió a apretar los dedos de Arnaud. Necesitaba sentirlos. Su mano resultaba tan cálida como siempre.

Una idea comenzó a tomar forma en su cabeza: ¿y si era eso lo que ocurría cuando alguien caía preso del Olvido? Quizá esa persona seguía estando presente aunque nadie le reconociera, aunque nadie pudiera verle.

LA FORCE

Ash no pudo dormir en toda la noche. Tanto él como Rudy habían entrado en el cuarto y, antes de meterse en la cama, no habían cruzado una sola palabra. Aquello le incomodaba. Cuando cerraba los ojos, revivía una y otra vez lo que había pasado. Aunque en ningún momento había sido plenamente consciente de lo sucedido, recordaba todo como se rememora un sueño, con las imágenes en su cabeza como si las hubiera visto desde lejos.

Durante el desayuno Ash miraba a Rudy con desconfianza, y cada vez que sus miradas se cruzaban, se evitaban. Se sentía culpable, pero no sabía cómo enfrentarse a su amigo ni cómo pedirle disculpas.

Cuando evitó por cuarta ocasión que sus miradas se encontraran, Rudy lanzó un resuello. Veía culpa en los ojos de Ash y en cada uno de sus gestos, y no soportaba esa actitud. No quería que su amigo se sintiera así. Pese a todo, confiaba en él y no le guardaba ningún rencor.

Pero no sabía cómo decírselo y eso le preocupaba mucho. Nunca antes se había quedado sin palabras. ¡Se le habían terminado! Desde luego, para Rudy aquello era el fin del mundo. Si no era hablando, él no sabía solucionar los problemas.

Maya puso los ojos en blanco. Estaba cansada de la situación. Ninguno de los dos había abierto la boca durante todo el desayuno y ella tenía muy claro el porqué: eran chicos, y los chicos no sabían hablar.

Ella sabía bien que era el peor momento para desconfiar, así que le dio un codazo a Rudy. Estaba segura de que si ella no se lo hacía ver, él jamás empezaría la conversación que lo aclarara todo entre los dos.

Rudy trató de disimular el dolor en el estómago por el golpe de Maya y la observó con la nariz arrugada. Por respuesta, ella le señaló a Ash con la cabeza. Rudy se encogió de hombros sin saber qué interpretar ante aquel gesto. Maya volvió a mover la cabeza. Rudy volvió a encogerse de hombros. Maya puso los ojos en blanco durante un par de segundos e insistió con un segundo codazo, esta vez seguido de una patada bajo la mesa. Rudy soltó un improperio por lo bajo y la miró. No tenía ni idea de lo que quería decirle. Tanto gesto, tanto golpe y tanta patada dolorosa en la espinilla lo desconcertaba. Desde luego, no había quien entendiera a las chicas.

Entonces, en un alarde de clarividencia, cogió la mantequilla y se la pasó a Ash, que acababa de tomar una tostada de la fuente con aire distraído. Este le miró confundido y, cuando recibió la mantequilla, sonrió amablemente a su amigo y asintió con la cabeza en un silencioso «gracias».

Rudy se rio. Primero levemente, porque le hacía gracia. No podía evitarlo. Le hacía gracia que su amigo se sintiera culpable. Que él mismo se sintiera también culpable. «Somos amigos, demonios —pensó—, ¿por qué nos comportamos como extraños?».

Recordó los ojos de Ash durante la noche anterior. Aquellos ojos negros no eran los ojos de su amigo, sino los de otra persona. Ash había sido poseído por la luna nueva. Seguramente había alguna razón detrás de todo, pues a nadie le poseía la luna así como así. Pero eran amigos, y no había nada que dos amigos no pudieran solucionar. Él ayudaría a Ash a entender lo que había ocurrido, a descubrir por qué cada vez que circulaba un rumor y llegaba la noche, él dejaba de ser él mismo y perdía el conocimiento. Eran amigos: su deber era apoyarle. Le guiñó el ojo y le sonrió.

—No te preocupes, vamos a descubrir qué es lo que ha pasado.

Ash levantó la vista de su tostada. No necesitaba escuchar nada más. Asintió y le devolvió la sonrisa a su amigo. Entonces le lanzó una miga de pan y le dio en la frente. Rudy se armó de otra bola de miga, contraatacó y, en cuestión de segundos, quedaron enfrascados en una intensa guerra de migas de pan y camaradería que les llevaría casi todo el desayuno. Condescendiente, Maya puso los ojos en blanco y contuvo una carcajada.

—Chicos… —susurró mientras meneaba la cabeza de un lado a otro.

Después suspiró. Ver a sus dos amigos comportarse con la normalidad de antes la había aliviado. Al fin y al cabo, ella necesitaba a su lado toda la fuerza que desprendía aquella amistad de la que, a su vez, también se sentía parte.

El cuerpo de Maya acudió a cada clase, pero su mente volaba a mil metros por encima del suelo. Lo que le había ocurrido a Rudy la noche anterior fue la gota que colmó el vaso. Cuando estuvo a punto de desaparecer a manos de Ash, había visto el sufrimiento en sus ojos. El mismo dolor, la misma angustia que ella había padecido noches atrás.

Su decisión estaba tomada. No quería que nadie más perdiera sus recuerdos y estaba dispuesta a llegar hasta el final. Su obsesión, de ahora en adelante, sería detener el avance del Olvido.

Tras la pérdida de su identidad, solo le quedaba aquella misión, y pretendía dedicarse a ella en cuerpo y alma. Pero para llegar hasta el final tenía que saberlo todo, descubrir qué había detrás de lo que estaba ocurriendo.

Y solo había una persona que podía responder a todas sus preguntas: Charlotte.

Tenía que hablar con ella costara lo que costara.

Tuvo que esperar hasta la noche para poder hacerlo. La había estado observando durante todo el día. Arnaud no había salido de su habitación por una supuesta enfermedad y, sin su compañero, Charlotte parecía perdida. Le recordó a un fantasma, caminando sin rumbo fijo por los pasillos, con los libros abrazados sobre su pecho y la mirada ausente, sin prestar atención a lo que había a su alrededor.

Maya, sin embargo, se sintió identificada con ella.

La siguió después de cenar. Se disculpó ante Ash y Rudy, que seguían celebrando con bravuconerías su recién redescubierta amistad y, a una distancia prudencial, caminó detrás de la chica. Temía que, al descubrirla, Charlotte se negara a hablar. Quería acorralarla en un lugar del que no pudiera escapar.

Se alegró de su suerte cuando descubrió que los pasos de Charlotte se dirigían hacia la cueva donde, noches atrás, se habían escondido de la luz de la luna. Se detuvo unos segundos para tomar aire y para que la chica francesa llegara hasta el final. Cuando creyó que ya lo había hecho, bajó las escaleras.

La alcanzó. Charlotte estaba de espaldas. Se encontraba de cara al mar, observando el edificio del colegio en la distancia.

Maya dio un paso vacilante y después otro. El viento susurraba a través de las oquedades de la cueva, produciendo un rumor como de voces diversas que murmuraban palabras ininteligibles a los cuatro puntos cardinales.

—¿Qué haces aquí? ¿A qué has venido?

Maya avanzó con pasos lentos hasta que estuvo lo suficientemente cerca de Charlotte. Ella se dio la vuelta. Sostenía su manojo de cartas de tarot, que parecían moverse con vida propia entre sus dedos.

—Quiero hablar contigo.

—Pues bien, ya lo estás haciendo.

—No es fácil.

—Nadie dijo que a este lado del tablero las cosas fueran fáciles. Tú has querido jugar.

Maya sentía una ráfaga de exasperación que le subía por la garganta, como si llegara directamente desde el hígado. No comprendía por qué Charlotte era tan tozuda, por qué tenía que ponerle las cosas tan difíciles.

—¡Eso ya lo sé, Charlotte!

—*Alors?* ¿Por qué estás aquí? Sé que llevas todo el día observándome; he venido a la cueva para que estuviéramos a solas. ¿Qué quieres saber?

Maya se acercó a ella desafiante, con los puños apretados. La rodeó con pasos cuidadosos. Parecían a punto de enfrentarse en una batalla mortal. Charlotte contra Maya. Maya contra Charlotte. El futuro, de alguna forma, dependía de aquella conversación. Podían presentirlo.

Se levantó una ráfaga de viento que sopló con más fuerza que las precedentes. El mismo viento que hacía que las olas rompieran contra los acantilados. El mismo viento que susurraba por entre las brechas en la roca. La mata de pelo color violín de Charlotte bailaba a su compás y proporcionaba una imagen amenazadora. Consciente de ese efecto, volvió a su posición inicial, de espaldas a la abertura de la cueva, con el viento traspasándole el uniforme desde la espalda.

—¿Por qué no quieres que sepamos nada, Charlotte? ¿Por qué te empeñas en mantenernos a oscuras? —Maya comenzó a hablar sin saber exactamente lo que estaba diciendo. Las palabras le estaban saliendo solas de la boca, como si las estuviera escupiendo—. ¿No te das cuenta de que ahora estamos juntos en esto, de que no puedes apartarnos?

—Que el Olvido te absorba es cuestión de tiempo. —Charlotte le hablaba sin mirarla, concentrada en los movimientos de sus manos mientras barajaba las cartas. Sacó una del montón. La Fuerza. No pareció conforme. Siguió barajando—. Nadie escapa del Olvido…

—¿Entonces? Si es irremediable, ¿por qué no nos dices toda la verdad? —Maya sonrió con ironía—. Al fin y al cabo… la olvidaremos.

—¿La verdad? ¿Quién te dice a ti que lo que yo sepa ahora sea la Verdad, Maya? —Hizo una pausa para tomar aliento—. Los recuerdos son ambiguos, los nuevos pueden haber sustituido a los previos en mi memoria, y lo que yo recuerde ahora podría ser completamente diferente de lo que hubo en un principio.

Maya volvió a sonreír. Comprendió que Charlotte intentaba confundirla.

—Sabes perfectamente que eso no es cierto. Te has cuidado de no sucumbir ante el Olvido. Os vi la otra noche, vi cómo Arnaud te decía que fueras fuerte, que no te dejaras vencer. ¿Qué ocultas? ¿Por qué no quieres que lo sepamos?

—¿Y tú, Maya? ¿Por qué es esta lucha tan importante para ti? —Charlotte se acercó a ella y la miró por primera vez a los ojos—. Hazme caso. Esto no es fácil. Sucumbe. Sucumbe al Olvido, déjate vencer y dejarás de sufrir. —Maya dio un paso atrás—. ¿Para qué guardar recuerdos tristes si no sirve de nada tenerlos? Yo...

—¿Tú qué, Charlotte?

—Nada. —Casi sonrió al mirarla—. Yo, nada. Esa es la palabra que mejor me define. Conservo mis recuerdos, sí. Pero ¿de qué me sirven? Solo para una cosa: para hacerme daño. No quiero que pases por lo mismo. Cierra los ojos, respira hondo y la próxima noche de luna lánzate al Olvido sin pensarlo.

—¡No quiero hacerlo! ¿No te das cuenta, Charlotte? Ya no puedo hacerlo. No pienso volver atrás.

—¿Por qué?

—Porque ya no puedo apartar la mirada de aquello que no quería ver. Yo ya no soy yo. He abierto los ojos. Cuando el Olvido intentó atraparme se llevó una parte muy importante de mí. Ahora sé cosas que antes no concebía que pudiesen existir. Es como si el Olvido me hubiera arrebatado la inocencia. No quiero que se lleve nada más. Pienso luchar. Contra el Olvido. Contra los rumores. Contra ti si es preciso.

Maya no se daba cuenta, pero cuanto más hablaba, más apretaba los puños y se clavaba las uñas en las palmas.

—De todos modos, Charlotte —continuó—, si para ti es tan doloroso recordar, ¿por qué no lo haces? ¿Por qué no te lanzas al abrazo del Olvido? ¿Por qué te refugias en esta cueva cada vez que brilla la luna? Dices una cosa, pero haces lo contrario.

—No quiero que nadie sufra.

—¿Acaso tú no eres nadie? ¿Está bien lo de no sufrir para los demás, pero no para ti? ¡Eres una hipócrita, Charlotte!

—Eso no es cierto. —Por primera vez parecía que las palabras de Maya habían dado en el lugar adecuado. Charlotte parecía a punto de llorar—. ¡Precisamente porque sé cómo es el dolor del recuerdo no quiero que nadie más lo sufra! Es lo más coherente. Por eso te estoy diciendo que no luches. Sé lo que es sufrir por esto.

—No te entiendo, Charlotte. No entiendo nada de lo que estás diciendo. ¡Yo tampoco quiero sufrir! Pero que no recuerde el sufrimiento no quiere decir que no exista. No puedes mirar hacia otro lado cuando sabes lo que está ocurriendo. Nosotros podemos hacer algo. ¡Hagámoslo!

—No quiero… —Charlotte se dio la vuelta, incapaz de mirar a Maya a los ojos. No soportaba que los demás fueran conscientes de sus debilidades. Se sentía a punto de desfallecer.

—¿No quieres?

—¡No! —Volvió a girarse, esta vez bruscamente. El pelo le cubrió la cara cuando miró al suelo—. Lo que no quiero… Lo que no quiero…

—¿Qué ocurre, Charlotte? ¿Eres muy valiente para guardar secretos, pero no para decirme la verdad? ¿Qué ocultas?

Maya contuvo la respiración. Charlotte la miraba con los ojos desorbitados, se notaba su esfuerzo por evitar las lágrimas y, mientras tanto, en medio de aquel silencio que se había establecido entre las dos, el viento seguía susurrando.

A Maya le pareció que aquellos susurros no podían surgir del viento; eran como voces con diferentes tonos, con diferentes timbres, con diferentes sentimientos... Desechó la idea, que se escapaba de toda lógica. Se trataba simplemente del viento a través de las oquedades de la cueva.

Entonces Charlotte se vino abajo. Al principio Maya solo vio cómo comenzaban a caerle las lágrimas, pero después, tras un espasmo, Charlotte se echó a llorar como si no lo hubiera hecho en mucho tiempo. Se cubrió los ojos con las manos y cayó de rodillas sobre el suelo de roca de la cueva. Maya se quedó quieta, observando el movimiento convulso de sus hombros, sin atreverse a hacer un solo movimiento. Sentía que si la interrumpía, rompería algo muy importante.

Hasta que Charlotte levantó la mirada. Veía a Maya borrosa, pero no le importaba. Ella misma llevaba sintiéndose así, desdibujada, desde hacía mucho tiempo. El Olvido le había robado tantas cosas que ya no sabía hasta qué punto era ella misma y no una sombra de lo que había sido.

—Tenía una hermana... —comenzó a decir con voz temblorosa—. Sé que la tuve. Era pequeña. No recuerdo su nombre. Tampoco recuerdo cómo era. Solo sé que tenía una hermana y que la perdí. Se la llevó el

Olvido. Yo escapé de milagro. Sujetaba su mano con todas mis fuerzas antes de que la absorbiera la luz de la luna. Pero tuve miedo y la solté. Recordarla es mi penitencia. —Charlotte volvió a sumirse en el llanto—. ¡Fui cobarde y la perdí, Maya! ¡No quiero perder a Arnaud! ¿No te das cuenta? Es lo único que me queda.

Maya dio un paso atrás. Estaba frente a la verdadera Charlotte, y resultaba que no eran muy diferentes la una de la otra. Las dos temían perder lo que las rodeaba. Ninguna quería olvidar ni ser olvidada; sin embargo, tenían maneras tan diferentes de actuar... Maya, con la vista fija adelante, no sabía ni quería mirar atrás. Le dolía demasiado haber perdido tantas cosas. Quería acabar con todo aquello. Charlotte, en cambio, era incapaz de enfrentarse al porvenir. Vivía anclada en el pasado, con la sombra del recuerdo de su hermanita colgándole de la espalda como una losa pesada.

Maya la comprendía, pero no estaba dispuesta a aceptar que se quedara de brazos cruzados cuando todos corrían el riesgo de perder y repetir su tragedia. No le parecía justo.

Se arrodilló delante de Charlotte, apremiada por la necesidad de actuar. Tenía que pensar con rapidez. Charlotte estaba débil en aquel momento y Maya no podía permitir que se volviera a enfundar aquella coraza de hielo que la caracterizaba. Se valió del mejor argumento posible:

—Pero ¿no te das cuenta de que tu hermana podría estar aquí? ¡Tú misma lo has dicho! La Verdad no tiene por qué ser lo que tú estás viendo, lo que tú sabes.

Mira lo que ha pasado con la mano de Arnaud. Ninguno consigue verla, pero está ahí: él puede sentirla, tú puedes tocarla. Aunque no la veas, tu hermana puede estar en el colegio, y necesita de ti.

Charlotte levantó la mirada y reencontró los ojos de Maya, iluminados por la resolución.

Nunca había pensado en esa posibilidad. Llevaba culpándose tanto tiempo de lo sucedido que jamás había contemplado la idea de que su hermana pudiera estar todavía en el colegio. Ambas podrían seguir allí. Incluso podría haber compartido mesa con ella en el comedor aquella misma mañana sin saberlo.

—¿Tú... tú crees? —dijo entre lágrimas.

Maya se las limpió y la ayudó a levantarse.

—No lo sé, Charlotte, pero no ganamos nada si nos quedamos quietos. Tú misma lo dijiste antes: si no hacemos nada, será cuestión de tiempo que el Olvido nos absorba. No quiero que me derrote. No quiero perder nada más. Arnaud se muere por hacer algo. Arriesgó su vida tratando de salvar a Rudy. Tienes que luchar junto a él, Charlotte. Ayúdanos. Podemos hacer algo. Si no lo intentamos, puede que le pierdas también a él, porque querrá luchar solo. Estará protegido si luchas a su lado, si le prestas tu fuerza.

—Está bien —susurró Charlotte—. Lucharé con vosotros. Intentaremos derrotar al Olvido.

LE SOLEIL

Arnaud llevaba un par de noches sin dormir. Asomado a la ventana, las horas pasaban una tras otra. A veces levantaba el brazo y lo ponía al trasluz. Ni siquiera así podía verse la mano. No comprendía lo que había pasado, pero estaba seguro de que existía una explicación racional para todo lo que estaba ocurriendo en el colegio.

Se levantó y se dirigió hacia la mesita de noche. Abrió el primer cajón y, semioculto entre los calcetines perfectamente doblados, encontró su viejo guante. Hacía mucho tiempo que no lo utilizaba, a pesar de que en algún momento fue su objeto preferido. Lo cogió con la mano visible y lo puso a la luz de la lámpara. Estaba un poco roído, pero serviría. Hacía tanto tiempo que no salía de aquel cajón... Desde los lejanos días de *Orestes*, su halcón, otra víctima del Olvido.

Arnaud recordaba aquellas tardes largas en los acantilados de la isla, imaginando que volaba junto al ave en lugar de observarla desde abajo. Soñaba con recuperar a *Orestes*. Tenía tantas ganas de recobrar cualquier cosa que hubiera sucumbido ante el Olvido que no le importaba haber perdido la visibilidad de su mano si con ello se abría alguna puerta que le diera esperanzas de recuperar algo.

Se calzó el guante en la mano invisible y movió los dedos. Le quedaba un poco justo. Había crecido bastante en el último año. Era un guante sencillo, de ante, que usaba en sus tardes de cetrería con *Orestes*.

Le sorprendió ver de nuevo la forma de su mano, aunque fuera debajo del guante. A pesar de todo, seguía existiendo. Era una pista importante. Quizá lo demás también estuviera allí, a su lado. Solo tenía que cambiar el prisma a través del que miraba.

La clave era mirar con otros ojos. Si lo hacían, estaba seguro de que algún día recuperarían todo lo que habían perdido. Visto así, no le importaba haber perdido la mano. Tenía la certeza de que la iba a recuperar.

Un sonido interrumpió sus pensamientos. Alguien llamaba a la puerta y no tuvo paciencia para esperar que él respondiera. Era Charlotte, que entró en la habitación con la mirada gacha. Después de un prolongado suspiro, levantó la cabeza. Arnaud levantó su mano enguantada y sonrió. Charlotte, a su vez, sonrió al descubrir la solución que había dado su amigo al problema.

—Arnaud, yo… *Je suis désolée.*

—*Pourquoi?*

—*Je ne sais pas…* No lo sé, Arnaud. Siento no haber estado ahí, cerca de ti, para comprenderte o ayudarte… Siento… —Charlotte suspiró. Le llegó a la boca un soplo de aire con sabor a lágrimas, pero las evitó. Tenía que demostrarle a Arnaud que era fuerte, que estaba con él y que había tomado una resolución—. Siento haberme quedado anclada en el pasado. No he sido de mucha ayuda…

—¿Ayuda? —Arnaud sonrió con sarcasmo, sabía lo que quería decirle Charlotte, pero le haría sufrir un poco antes de admitir su disculpa—. ¿Para qué?

—Para solucionar todo esto, Arnaud. No quiero perder nada más. No quiero… —Charlotte levantó la cabeza y le miró a los ojos— perderte a ti también. Cuenta conmigo. No he perdido el miedo al Olvido, pero no quiero quedarme de brazos cruzados. Ya no puedo.

Arnaud se acercó a ella sonriente. Le acarició la cara con la mano enguantada y Charlotte sintió la calidez que despedía a través del ante.

—Yo tampoco quiero perderte, Charlotte. No quiero que perdamos más cosas.

El chico se aproximó aún más. Algo en su interior le decía que el momento que llevaba esperando tanto tiempo había llegado y que, si no se arriesgaba, seguramente se arrepentiría durante el resto de su vida. Dio otro paso. Charlotte adivinó sus intenciones y sonrió. Ella también quería besarle.

Cuando apenas les separaban unos milímetros, la puerta se abrió de golpe y entró una exhalación con gorra de béisbol sin dejar de parlotear.

—¡Nos da igual lo que penséis o queráis, porque vamos a ayudaros! Sabemos que os mola ese rollo del misterio y de que sois los más fuertes y los más fríos y de que nada os perturba, pero a nosotros no nos la dais con queso. Sabemos que el Olvido os preocupa tanto como a nosotros y no nos da la gana que nos dejéis al margen, ¿sabéis? Tenemos tanto derecho como vosotros a solucionar esto, a salvar a todo el mundo, así que no aceptaremos un no por respuesta. Si nos decís que no, os echaremos… os echaremos…

Rudy miró a Maya y a Ash, que habían entrado justo detrás de él para completar la amenaza, pero ninguno de los dos era capaz de hablar con tanta rapidez. Además, se habían perdido a la mitad de su discurso. Rudy se dio cuenta de que no encontraría ayuda en sus amigos, así que suspiró, puso los ojos en blanco y señaló con un dedo amenazante a Arnaud y a Charlotte solo para darse cuenta de lo que habría pasado en la habitación de no haber irrumpido. Sintió que el rubor le teñía hasta la punta de las orejas y deseó que la tierra le tragara.

Arnaud y Charlotte se miraron y no consiguieron contener la carcajada que les bailaba en la boca del estómago desde el momento en que Rudy había entrado en la habitación. Y cuando aquella carcajada explotó, tampoco pudieron contener las que la siguieron. En pocos segundos, los cinco estaban riendo.

—Ne obliviscaris —dijo Arnaud solemnemente después de reír.

—¿Cómo? —preguntó Rudy con el ceño fruncido.

—Ne obliviscaris —repitió Arnaud dando un paso al frente—. En latín, significa «nunca olvidar». Será nuestro lema. Nunca olvidar. Ne obliviscaris.

—Ne obliviscaris —le secundó Charlotte entre dientes.

—Ne obliviscaris —dijo Maya subiendo el tono de voz—. Me gusta. Ne obliviscaris. Nunca olvidar. Me parece bien, porque no pienso olvidar nunca más ni permitiré que nadie más me olvide. Acabaremos con todo esto, con el Olvido, con los rumores, con la luna. Con todo.

—Ne obliviscaris —clamó Rudy, más porque lo estaban haciendo los demás que porque comprendiera el significado de la frase.

—Ne obliviscaris —repitieron todos al unísono, sintiéndose fuertes y esperanzados.

CUARTO
CRECIENTE

LA JUSTICE

«Las palabras no entienden de sueños ni de deseos, de odios ni de rencores. Al caer la noche, en el camino hacia su muerte, se llevan cenizas de recuerdos que no debieron desaparecer jamás. Los seres humanos muchas veces pronunciamos en voz alta cosas que nunca deberían traspasar la barrera de nuestras gargantas».

Ash se despertó sobresaltado ante aquella voz y se incorporó sobre la cama. Respiraba con dificultad. Gruesas gotas de sudor le corrían por la frente y tenía empapada la camiseta del pijama.

Miró a su alrededor. Aparte de Rudy, que dormía a pierna suelta en la cama de al lado, no había nadie en la habitación.

Se palpó la frente. Estaba ardiendo. La voz podía provenir de un simple sueño, pero él la había percibido con demasiada nitidez. Su mensaje le había llegado sin dificultad. Además, no solía recordar lo que se decía en sus sueños, y ahora esas palabras se le presentaban como si las tuviera tatuadas en el cuerpo.

Se levantó y miró por la ventana. La luna nueva era un pequeño hilo de plata que se convertiría en un reluciente cuarto creciente al día siguiente.

Salió de la habitación sin hacer ruido y sus pasos le llevaron hasta la cueva subterránea que le habían descubierto Charlotte y Arnaud. El silencio resultaba sobrecogedor. Normalmente la sonoridad en aquella cueva era tal, que se tenía la sensación de estar acompañado de mil personas que no dejaban de susurrar. No era más que el efecto del batir de las olas contra los acantilados hacia los que se abría aquella galería interminable de pasadizos de roca. Pero el silencio que se encontró Ash era absoluto.

Dio un paso. Después, otros dos. Y cuando quiso darse cuenta, no pudo avanzar, había llegado al extremo de la cueva donde rompían las olas al subir la marea, que aquella noche estaba más alta que de costumbre. El agua le había mojado tanto los pies como los bajos del pantalón del pijama. La marea subía. No dejaría de hacerlo hasta que la siguiente luna llena se encontrara en su cenit. Después, cuando se dispusiera a bajar, arrastraría consigo todo lo que encontrara a su paso.

La expectación mantenía despierta a Maya. Se sentía extrañamente ligera. Por momentos tenía ganas de saltar de alegría y soltar un gritito de júbilo. Pero después, al recordar por qué se sentía contenta, se decía que su entusiasmo no estaba justificado.

Antes era más feliz, no le cabía duda. Echaba de menos lo que había tenido, se echaba de menos hasta a sí misma. Quería recuperarlo todo. Y cuanto antes, mejor.

Se sentó en el alféizar de la ventana de su cuarto y apoyó la frente contra el cristal. Estaba frío, pero resultaba una manera tan buena como cualquier otra para que se le refrescaran las ideas.

Reflexionó sobre la decisión que habían tomado: enfrentarse juntos al Olvido, con todas las fuerzas de las que disponían. Ante ellos se abría una infinidad de caminos por los que no sabían cómo transitar. Querían acabar con el Olvido, con aquellos rumores nefastos que parecían ser el origen de tantas calamidades. Pero ¿cómo hacerlo?

A Maya el corazón le dio un vuelco en aquel momento. «Origen». En esa palabra se encontraba la clave; tenían que llegar al principio de todo, al origen: tendrían que aprender cómo funcionaban los rumores desde su aparición.

Palmoteó de gusto ante su idea. Sus palmadas resonaron por toda la habitación y el efecto de los techos altos amplificó el sonido de forma considerable.

Se asustó y tuvo la sensación de que no estaba sola. Se llevó la mano al pecho y descubrió que su corazón latía muy rápido. Miró alrededor. No había nadie. Pero Maya no se equivocaba. Tenía sus recuerdos, y eso significaba que no estaba sola.

Una sombra que consiguió ver a través del cristal, abajo, entre la maleza, llamó su atención. Se puso alerta. Alguien acababa de salir por entre los matorrales y venía hacia el colegio por el camino del embarcadero.

Entonces, el fino hilo de luna salió desde detrás de una nube e iluminó el paisaje. Era Ash quien se acercaba. Al reconocerle, a Maya se le iluminó el gesto. Llegar al origen de todo, encontrar su principio. Acababa de ocurrírsele una estrategia para conseguirlo. Volvió a palmotear de la emoción. El sonido de sus palmadas se elevó hasta el techo a través del eco.

L'ÉTOILE

Arnaud se inclinó hacia atrás sobre el banco de piedra y arqueó una ceja. Rudy, en cambio, se quitó la gorra, se rascó la cabeza y abrió la boca tanto como lo permitía su mandíbula.

—¿Estás sugiriendo que...? —Arnaud no terminó la frase. Frunció el ceño, miró a Charlotte y volvió a inclinarse hacia atrás y hacia delante en un vaivén continuo.

Maya asintió y sonrió satisfecha.

—No nos queda otra alternativa, Arnaud.

Charlotte suspiró. Todavía no había dicho nada. Su cabeza era un hervidero de sensaciones y razonamientos. La idea de Maya era arriesgada, pero sabía que no le faltaba razón. Al fin y al cabo, hasta ahora se habían limitado a defenderse y eso no había servido de nada.

—*C'est vrai,* Arnaud. Tenemos que actuar y no se me ocurre otra manera.

—Es peligroso.

—*Cela nous le savons déjà,* Arnaud. Todo lo que hemos hecho desde que perdimos contra el Olvido es peligroso. Esta es nuestra última oportunidad.

Arnaud arrugó el entrecejo. Su cerebro parecía girar a toda velocidad. También quería llegar al principio de todo y, desde ahí, directo hasta el final, hasta que la sombra del Olvido dejase de oscurecer las noches del colegio.

—Pero vosotros estáis locos, ¿verdad?

Rudy sintió como si sus palabras resonaran por todo el jardín. Por eso, al final de la frase, bajó el tono y miró a su alrededor. No estaba acostumbrado a escuchar su propia voz a un volumen tan alto. Normalmente se quedaba callado, escuchando, atento al momento oportuno para hacer el chiste ocurrente de la jornada. Nunca se había detenido a hacer un juicio de valor de aquellas características.

Tres pares de ojos se posaron sobre él con toda la seriedad del mundo, como si hubiera cometido un crimen.

—¿No os dais cuenta de que no podemos hacerlo? —se explicó.

—¿Por qué no? —Maya puso los brazos en jarras y le miró con dureza—. ¿Acaso tienes un plan mejor?

—No, pero… pero… Pero Ash es mi amigo. No puedo consentirlo.

Ash llegó en ese mismo momento, como si Rudy le hubiera invocado al pronunciar su nombre. Maya le había dicho que le esperarían en el jardín interior a la salida de clase, pero el profesor Martin le había entretenido, por eso llegaba tarde.

Se sentó y miró a su alrededor con un gesto de confusión. Escamado por el silencio que había entre sus amigos, levantó una ceja. Rudy bufó porque no encontraba argumentos en contra de la ocurrencia de Maya y le dirigió una inclinación de cabeza a su amiga: si quería proponer aquel plan descabellado, que al menos se lo hiciera saber al interesado.

Maya comprendió el gesto y miró tanto a Arnaud como a Charlotte. Ambos asintieron.

—Tengo un plan, Ash. Pero no digas nada, no hables hasta que no termine de contártelo. Es un buen plan, te lo aseguro. —Suspiró, carraspeó y continuó hablando—. Solo hay una manera de que resolvamos este asunto y es ver cómo funciona un rumor desde el principio, ver cómo se crea, cómo se desarrolla, qué cambios van estableciéndose y luego… bueno, ver cómo desaparece y cae en el Olvido. Claro, nosotros no controlamos los rumores, aparecen sin previo aviso. Es normal, son rumores. A menos… —Hizo una pausa y los miró a todos antes de continuar—. A menos que lo fomentemos nosotros, que creemos el rumor para que comience a funcionar el mecanismo. Lo malo… Lo malo…

Maya sentía dificultades para encontrar las palabras correctas. Venía lo más difícil y, con las piernas temblando, sintió que los nervios estaban a punto de jugarle una mala pasada. La noche anterior, cuando se le había ocurrido la idea, le había parecido tan buena que no habría tenido reparos en gritarla a los cuatro vientos. Pero ahora, con Ash delante, le faltaban fuerzas para contársela.

—Lo malo es que no es fácil controlar un rumor. —Charlotte tomó el relevo de Maya. Su voz calmada y grave contrastaba con la de la otra chica, que había sonado aguda y acelerada—. Hay que elegir bien, tiene que ser un objetivo fácil y… Bueno, tú eres el objetivo más fácil que tenemos, Ash.

Ash parpadeó confuso y guardó silencio.

—Piénsalo, Ash —intervino Maya nuevamente—. Eres el chico nuevo, la gente apenas sabe nada de ti. Cualquier cotilleo que pongamos a andar correrá como la pólvora en minutos. Podríamos empezar ahora mismo. Para esta noche, miles de historias te tendrían como protagonista.

—No te preocupes, Ash. —Arnaud se inclinó hacia delante y apretó el puño enguantado—. No dejaremos que te pase nada.

La cabeza le daba mil vueltas a Ash. No sabía qué hacer. Él también deseaba poner fin al dominio del Olvido, pero ¿exponerse así? No lo tenía claro, a pesar de que intuía que el plan podía funcionar.

—Di que no, macho, di que no. —Rudy le dio un golpe seco en la coronilla con el puño cerrado—. ¿No te das cuenta de que se les ha ido la olla? Debió de ser la cena de anoche, sí. Les habrá sentado mal. Ya decía yo que el pastel de carne tenía mala pinta. Seguro que utilizaron la carne del asado que sobró. Ya decía yo que me sabía mal, que no me gustaba. Un regustillo que dejaba, ¿sabes? Sí, sí, ya sé que yo me comí mi ración y la mitad de la de Maya, pero, bueno, yo tengo el estómago a prueba de balas, no hay nada que me siente mal. Pero seguro que ellos se han indigestado y se les ha derretido el cerebro. —Los miró a los tres, que, a su vez, miraban a Ash expectantes, sin prestar atención al monólogo de Rudy—. Seguro que es eso, porque de verdad no pretenden que te ofrezcas como señuelo. ¿Verdad? Di que no, Ash, tío, di que no.

Pero Ash asintió. Primero, lentamente. Pero para que no quedaran dudas asintió una segunda vez con fuerza, con decisión. Pensaba que no tendría por qué correr ningún riesgo. Al fin y al cabo, tenía a sus amigos de su parte.

Quedaron al anochecer en la cueva de Charlotte y Arnaud, el único sitio donde podrían hablar tranquilos y elegir qué rumor divulgar. Maya no se concentró en ninguna de las clases de aquel día, se pasó las horas apuntando los rumores que se le ocurrían, tachándolos, corrigiéndolos, modificando las palabras que les daban forma. A última hora de la tarde se encontró con que tenía escrita una abundante selección y, aunque quedaba bastante para el anochecer, decidió ir a la cueva. La impaciencia la estaba carcomiendo porque sabía que si todo salía bien muy pronto recuperaría todo lo que el Olvido le había robado.

Si acababan con él, si descubrían cómo funcionaban los rumores, podrían revertirlos y hacer que circularan en dirección contraria. Si evitaban que el Olvido se llevara a Ash, ella misma comenzaría a divulgar un rumor acerca de sí misma, un rumor en el que se hiciera realidad lo que ya había sido antes.

Bajó los escalones de dos en dos. El repiqueteo de sus pasos se repetía por las galerías de aquellas cuevas extrañamente brillantes que se entrelazaban en las profundidades de la isla. Creía ser la primera, pero, cuando llegó al límite de aquella gruta que daba al acantilado, vio una sombra agazapada en la orilla.

La marea todavía estaba baja, pero el compás de las olas aumentaba. Maya sabía que, antes de que se dieran cuenta, el agua llegaría hasta donde ella se encontraba.

—La marea va a subir más alto esta noche, ¿verdad? —dijo cuando estuvo a una altura suficiente para que la escuchara la sombra—. Va a tener razón el profesor Martin.

Rudy se dio la vuelta sorprendido.

—¿Ese gordo come-pizzas, hermano gemelo de Santa Claus? —replicó, para después reír y rascarse la cabeza un poco más arriba de la nuca, visiblemente nervioso. Estuvo a punto de hacer caer su gorra al agua—. No sé. No suelo escucharle.

—Dijo en clase que en esta época del año la marea sube más que de costumbre. Algo relacionado con la latitud y con la luna o algo así. No sé. Yo tampoco estaba escuchando con atención.

Maya se acercó más a Rudy. Las olas que rompían en la roca casi le mojaban los zapatos. Si se quedaba en ese punto no tardaría en tener un charco alrededor de los pies.

—Parece que últimamente todo lo que nos rodea está relacionado con la luna —comentó Rudy entre dientes.

Ella se encogió de hombros. Rudy la imitó.

—Estás muy callado —le dijo Maya después de más de cinco minutos en silencio—. No pareces tú.

Rudy hizo una mueca que ni siquiera él supo cómo interpretar.

—Estás raro. —Maya paseó a su alrededor y terminó plantándose delante de él con una sonrisa—. Ni siquiera hablas. Deberías estar alegre. Hemos descubierto una manera para acabar con el Olvido. Muy pronto acabará toda esta pesadilla.

—¿Cómo estás tan segura?

—¿Por qué no estarlo? —contestó aún sonriente.

No le gustaba ver a su amigo tan taciturno, y menos cuando ella rebosaba de optimismo.

—No me digas que tienes miedo —le retó.

Rudy le lanzó una mirada helada y apretó los dientes. Después abrió la boca para decir algo, pero su garganta no emitió ningún sonido. Se arrepintió antes de que la primera palabra saliera de su boca.

Maya volvió a sonreírle enseñando toda la blancura de sus dientes y Rudy fue incapaz de resistirse a su gesto. Después de un resoplido de protesta, Maya escuchó sus palabras:

—Estaba pensando… No sé… Antes había palabras que me daban miedo, ¿sabes? Palabras horribles. Horribles como… ¡como «araña»! Una palabra fea en sí misma: piensas en la palabra «araña» y te aparece en la cabeza la imagen de un bicho feo con ocho patas y ocho ojos cuya única función en la vida es asustar. Sí, sí, te lo digo. Las arañas se confabulan para fastidiarme la vida. Y otras palabras también aterrorizan. No hace falta que las metas en ninguna frase para eso. Pero ahora… Ahora todas las palabras me dan miedo. —Rudy hizo una pausa y miró a su amiga para ver si le estaba siguiendo—. ¿A ti no?

Maya torció el gesto. Normalmente Rudy hablaba, hablaba y hablaba, y Maya dejaba de escucharle en la segunda frase y no volvía a prestarle atención sino hasta la última, cuando regresaba al tema del que había estado hablando. Esta vez era diferente. Le miró y se encogió de hombros.

—¿No te pasa? —Rudy se quitó la gorra y se rascó la cabeza—. No sé. Se me han quitado las ganas de hablar. Tengo la sensación de que, como dicen en las películas, todo lo que diga va a ser utilizado en mi contra. Temo a las palabras, a todas, más allá de lo que signifiquen. Más allá de la imagen que me pongan en la cabeza. Da igual. Cualquier palabra es peligrosa. ¿Y si algo que diga se convierte accidentalmente en un rumor? ¡Estaría poniendo en peligro a una persona! No quiero que alguien desaparezca en el Olvido por mi culpa. Así que a partir de ahora dejo de hablar. Se acabó. *Caput. Finito.*

Rudy hizo como que cerraba su boca con una cremallera y tiraba al mar la llave que custodiaba sus palabras. Permaneció dos segundos con los labios apretados y, pasado ese tiempo, continuó hablando:

—¿No lo has pensado, Maya? ¿Y si Ash desaparece en el Olvido? ¿No seríamos nosotros los culpables?

La chica no tuvo tiempo para contestar. Antes de que la pregunta de Rudy entrara en su cabeza y ella pudiera analizarla, escuchó las voces de sus amigos.

—Ya vienen.

El sol estaba poniéndose. Daba la sensación de que el mar, algo erizado, se lo tragaba lentamente. Maya no quería apartar la vista de ese espectáculo, pero cuando escuchó a sus amigos no tuvo más remedio que darse la vuelta.

—¿Habéis pensado en algo? —les preguntó cuando llegaron a su altura.

—Tengo algunas ideas, pero no sé si van a funcionar —respondió Charlotte.

Arnaud admitió que a él no se le había ocurrido nada, pero sostuvo que lo importante era lanzar una historia, pues lo demás vendría rodado y ellos solo tendrían que estar atentos a su desarrollo.

—Podríamos decir algo parecido a lo que te pasó a ti, Maya. Algo relacionado con las notas.

—¿Dos historias parecidas en un mismo curso? —Maya agitó la cabeza—. No, no funcionará. Necesitamos algo impactante que quede en la memoria de todo el mundo.

Rudy no daba crédito. Fiel a su propósito, no había abierto la boca y se limitaba a observar.

—Podríamos decir que Ash es un príncipe exiliado, a la gente le gustan ese tipo de historias.

—O quizá un criminal convicto que ha venido a esconderse al colegio y que ha cometido unos cuantos asesinatos.

Rudy seguía en silencio, pero ahora apretaba los labios. Se tapó los oídos con los dedos. Llegó a cerrar los ojos, pero no aguantó más y acabó abriendo la boca. No podía creer que sus amigos hubieran decidido llevar el plan hasta el final. Soltó un bufido y dio una patada sobre el suelo para que le prestaran atención. Después dijo alto y claro:

—¡O quizá decir que ha puesto mal la lavadora y que su ropa está teñida de rosa! Pero ¿os estáis escuchando? ¡Es de vuestro amigo de quien habláis!

No pudo añadir más a su protesta. Sus palabras se repitieron debido al efecto del eco, retumbando sobre las paredes de roca. Llegó un momento en que parecía que los cinco estaban rodeados por un coro de voces idénticas a la de Rudy que canturreaba lo mismo una y otra vez. Aquellas voces amenazaban con destrozarles los tímpanos y todos tuvieron que taparse los oídos.

Lo siguiente fue un silencio repentino, y un haz de luz amarilla que surgió del agua y se lanzó contra Ash. No tuvieron tiempo para reaccionar. El rayo sabía hacia dónde dirigirse, y ellos tuvieron que conformarse con ser testigos de aquel hecho extraordinario.

Ash dio un paso atrás, pero no escapó. En pocos segundos estaba completamente bañado por la luz amarillenta y brillante.

Cuando esta se difuminó, toda su ropa estaba teñida de rosa.

LE MONDE

Ash notó los primeros cambios en su atuendo mucho antes de que subieran al comedor.

—Ya está hecho —dijo Charlotte solemnemente—. Los rumores han comenzado.

A cada paso que daban, a la ropa del chico le ocurría algo diferente. Primero, aumentó dos tallas. El pantalón le creció tanto que estuvo a punto de pisarse los bajos y caer por las escaleras. Al traspasar el umbral de la puerta de la cueva, sin embargo, la ropa encogió, y a duras penas logró mantener la camisa del uniforme sobre su cuerpo sin que le estallaran todos los botones.

Ese era uno de los problemas de la rumorología, les explicó Arnaud: una historia que corría de boca en boca nunca permanecía igual por mucho tiempo.

—Estás muy guapo, Ash —le dijo Rudy mientras ponía una mano sobre el hombro de su amigo después de que la ropa adquiriera un color verde pistacho.

Ash le miró y no supo si reírle la gracia o no. Al comprobar que, efectivamente, habían logrado despertar un rumor sobre su persona, se había asustado bastante. Y, además, Rudy no podía engañarle. Aunque simulara haciendo bromas y sonriéndole como siempre, Ash sabía que su amigo estaba tan asustado como él.

Arnaud y Charlotte quedaron rezagados. Antes de que la chica entrara en el comedor, Arnaud la sujetó del brazo con su mano enguantada y le hizo un gesto para que le siguiera. Su expresión era sombría y mostraba una mueca de preocupación ante lo que estaba ocurriendo. Necesitaba hablar con ella.

—¿Estás segura, Charlotte? —susurró cuando se encontraron a solas.

—*Comment?*

—Que si estás segura de lo que estamos haciendo.

—No sé de qué me estás hablando, Arnaud.

—Sabes perfectamente a qué me refiero. ¿Si resulta ser él? ¿Si resulta que por esto acaba desapareciendo en el Olvido? Perderíamos toda oportunidad.

—No puedo creer que me estés diciendo eso. —Charlotte respiró con fuerza y giró la cabeza tan rápido que el pelo le cubrió la cara unos segundos antes de que la levantara y encarara a su amigo—. Por fin me decido a hacer algo, cierro los ojos, trato de superar mis miedos y ahora el que tiene miedo eres tú.

—Nunca he dejado de tenerlo. Ten cuidado con lo que dices.

—Yo ya no tengo miedo. Maya estaba en lo cierto, deberíamos haber actuado hace mucho tiempo.

—Ya lo hicimos, no sé si te acuerdas.

—Lo recuerdo, sí, y no me olvido, pero, si podemos hacer dos cosas, ¿por qué conformarnos con una? No puedo más, quiero que esto termine, quiero hablar con libertad, dejar de temer a la luna y de vivir entre secretos. No quiero perder más cosas, Arnaud. No puedo más.

—¿Y si nos arriesgamos demasiado? —Arnaud suspiró y el aire salió de sus pulmones en forma de quejido—. ¿Qué ocurriría si a él también le perdemos? Podría tratarse de nuestra última esperanza.

Charlotte se acercó a Arnaud y se aferró a su mano enguantada.

—Si le perdemos a él también, habremos perdido la guerra, Arnaud. Y tendremos que encararlo con la mayor fuerza que podamos. Su pérdida significaría nuestra derrota. —Sin soltarle la mano, miró al suelo y después de unos segundos levantó la vista. Tenía lágrimas en los ojos—. Llevo huyendo tanto tiempo que ya casi no recuerdo qué había antes de la huida, como si las palabras y la luna también lo hubieran borrado. Estoy cansada, Arnaud. Quiero que esto acabe y no me importa lanzarme como un kamikaze. Se acabó. Quiero atacar.

—No quiero perderte, Charlotte.

Charlotte le sonrió. Levantó la mano enguantada de Arnaud y la dirigió hacia su cara. Sintió el contacto del cuero en su mejilla y supo que bajo aquella textura se escondía la mano de un hombre valiente, generoso y perspicaz, capaz de arriesgarlo todo por ella. Incluso sus recuerdos.

—No me perderás, Arnaud. Estamos juntos. Si perdemos, perdemos juntos. Desaparecemos juntos.

Entonces, le besó.

Ash estaba incómodo. Sabía que todo el mundo cuchicheaba a sus espaldas, que era el centro de atención y que aquella noche todas las conversaciones en el comedor giraban en torno a él.

Miró a su alrededor. Mileya Elwer y Georgia Husk, dos compañeras de clase, le estaban mirando, y, al observarlas, giraron la cabeza visiblemente nerviosas. Lo mismo ocurrió con Khari Maldjian o con Lin Blytzster, aunque ellas siguieron mirándole sin reparo y hablando entre sí.

Rudy se limitaba a observar a su amigo por el rabillo del ojo. Quería tenerle vigilado por si le ocurría algo. Si Ash desaparecía, él sería culpable. La idea le encogía el estómago.

Maya, por su parte, pataleó de impaciencia sobre el suelo y miró hacia la ventana. La luna subía lentamente desde el horizonte, surgiendo del mar e iluminando el agua con su reflejo. La chica tragó saliva y miró a sus amigos. Ellos también se habían dado cuenta de que la luna estaba emergiendo. Quedaba poco para que estuviera en su cenit.

Charlotte contuvo la respiración y, en un impulso, sacó la ajada baraja que guardaba en el bolsillo de su uniforme y comenzó a barajar las cartas con los ojos cerrados.

Volvió a tomar aire cuando sintió que ya estaban listas y, bajo la atenta mirada de sus amigos, sacó cuatro cartas y las dispuso en cruz sobre la mesa, dejando un espacio en el centro para la última carta, la que respondería a su pregunta.

—*Le Monde* —anunció.

La carta estaba del revés. Miró a sus amigos, la expectación se alargaba en sus caras como las sombras que llenaban el paisaje por la aparición de la luna. El corazón latía con fuerza en el pecho de Charlotte, y la cena había dejado de saberle bien, adueñándose de su boca un sabor acre: el sabor del fracaso.

El Mundo. El arcano número XXI. Si hubiera salido del derecho se le habría dibujado una sonrisa en la cara. De esa forma auguraría éxito y realización, el cumplimiento de un plan.

Pero del revés significaba lo contrario: frustración. Miedo al cambio. Incapacidad para llevar una propuesta hacia un fin satisfactorio.

Charlotte evitó comentar la revelación. No podía decirles eso a sus amigos. Perderían las esperanzas, que era lo único que les quedaba. Suspiró. Volvió a mirarlos. Sonrió. Las palabras en aquel colegio lograban que todo cambiase. Ya no perdía nada mintiendo. Las mentiras, después de todo, estaban formadas por palabras.

—Todo va a salir bien —dijo en el momento en que la luna llegó a su posición en lo alto del cielo y se encendieron las farolas del patio indicando que acababa de caer la noche.

Antes de que sirvieran el postre comenzaron a escuchar el murmullo del mar cada vez más alto, como si las olas se hubieran ido acercando lentamente al edificio y amenazaran con anegarlo por completo.

Se levantaron a la vez. Con paso ligero fueron saliendo del comedor en fila india en dirección a la cueva. No hablaron, no se dirigieron la palabra. Temían lo que eran capaces de hacer. Las palabras: apenas una serie de letras una detrás de otra, pero con el poder de transformar el mundo en aquella isla.

Las palabras, el arma más poderosa que poseían los hombres, estaban fuera de control en aquella isla. Hacían y deshacían a su antojo sin que nadie pudiera evitarlo.

Impaciente, Arnaud se adelantó y abrió la puerta que daba a la cueva sin perder de vista la ventana. La luna brillaba con fuerza a través del cristal con un fulgor amarillo, intenso. Parecía a punto de explotar. Incluso después de todas las veces que la había visto se seguía preguntando por qué nadie más se daba cuenta. O quizá sí lo hacían, pero lo olvidaban después. No quería comprobarlo.

Al mismo tiempo, el murmullo del mar se iba acrecentando. Era una señal de que el Olvido estaba cerca.

—El Olvido es tan imprevisible como las palabras que lo llaman. Nunca se sabe cómo va a actuar —les había explicado Arnaud a sus amigos aquella tarde en el jardín para prepararlos ante lo que estaba por venir—. Un día te acuerdas de algo y, al siguiente, ya no: se oculta en los sótanos de tu memoria y hasta que no haces un esfuerzo no surge. A lo mejor tienes esa sensación extraña de que tienes que resolver algo importante, ese vacío inmenso en la boca del estómago que te impide hacer otra cosa hasta que recuerdas lo olvidado.

Cerró la puerta tras de sí después de dejar que todos pasaran. Respiraba entrecortadamente por la expectación. Apretó su mano enguantada. Quería recuperarla. Cuando volviera a ver su mano todo habría vuelto a su sitio. Tenía presente, además, que las cartas le habían dicho a Charlotte que todo saldría bien.

Al final de la galería se encontraron con un espectáculo imponente. Al fondo, sobre el mar, a través de la abertura que daba al borde de los acantilados, la luna refulgía como nunca antes. Estaba más grande de lo normal, como si flotara justo encima de sus cabezas. El mar rugía con fuerza y las paredes y rocas de la galería brillaban con la misma intensidad que despedía el astro.

Sorprendido, Arnaud dio un paso atrás. No comprendía qué estaba pasando. Charlotte y él llevaban escondiéndose en aquella cueva desde que descubrieron el Olvido y habían estado siempre a salvo: la actividad se había desarrollado fuera, en la isla, en las dependencias del colegio, no allí.

De pronto, el bramido del mar cesó y su silencio dio paso a otro tipo de sonido: un murmullo, el mismo que podía escucharse en el comedor durante las horas de la comida, con miles de voces hablando al mismo tiempo las unas sobre las otras debido al eco, que las coreaba por todos los rincones.

Pasados unos segundos, el volumen de las voces se intensificó, así como lo hizo el brillo amarillento de las paredes de roca que los rodeaban. Se levantó un viento huracanado y tuvieron que agarrarse a la pared para no salir despedidos contra las rocas. Parecían atrapados en un campo de electricidad.

El viento no acalló las voces. Todo lo contrario: se unió a ellas para dar forma a un coro de melodías psicodélicas y casi infernales que amenazaba con ensordecerlos.

Ash sentía el vello erizándosele como cuando se acercaba a la televisión, un cosquilleo intenso que le recorría el cuerpo a la misma velocidad que la sangre. Estaba, sin lugar a dudas, en el ojo del huracán.

El fenómeno no se hizo esperar. Del mar surgió un rayo de luz. Serpenteaba sobre el agua como buscando una dirección y, cuando la encontró, nada pudo detenerlo. Iba directo hacia Ash.

—¡Cuidado! —gritó Arnaud.

Ash estaba confundido. Miró hacia el rayo de luz y sintió que le llamaba. Creyó reconocer la voz que pronunciaba su nombre. Reconocía su textura, su timbre, podía incluso imitarla. ¡Aquella voz era la suya!

En cuanto descubrió que era él mismo quien se estaba llamando dejó de ser consciente de sus acciones y dio un paso hacia adelante. Luego, otro. Y el rayo de luz hizo lo mismo, empezó a moverse lentamente hacia él, oscilando sin prisas de un lado a otro.

—¡Ash! ¿Qué haces? ¡Detente! ¡Para! —Maya le gritaba con angustia, pero al chico la voz le resultaba demasiado lejana y la ignoró.

Maya se asustó. Corrió hacia él para retenerle. Tenía que evitar a toda costa que fuera hacia la luz, hacia el Olvido. No podía permitirlo.

Rudy se dio cuenta de la pretensión de Maya y gritó su nombre. Pero su clamor fue ahogado por el rumor de las voces, que aumentaron su volumen, y por el potente soplo del viento. El chico se levantó. Con el viento en contra, caminar resultaba una proeza. Sin embargo, logró acercarse a sus dos amigos.

Maya era demasiado impulsiva, y Rudy temía que llegara a tocar a Ash y el Olvido se los llevara a ambos. Tenía que impedirlo. Repitió tantas veces su nombre que pareció estar gritando una sola palabra capicúa. El eco se unió a su esfuerzo, pero ni el conjunto de aquellas voces repitiendo lo mismo fue suficiente para que ella cejara en su intento. Se agarró con fuerza de la ropa de Ash y tiró de él.

Arnaud y Charlotte contemplaban la escena incapaces de hacer nada, sujetos a la roca para que el viento no los arrastrase.

En ese momento el rayo de luz pareció despertar de su letargo. Adquirió rigidez, casi como si tuviera sustancia, y todo se desencadenó: la luna refulgió con mayor intensidad, el coro de voces cantó al unísono y Ash se levantó del suelo, liberándose de los tirones de Maya.

Rudy, consciente de la inutilidad del esfuerzo de su amiga, la abrazó por detrás con fuerza y la atrajo hacia sí, hasta que ambos cayeron rodando por el suelo y se alejaron del peligro.

Ash, sin embargo, se encontraba a gusto, casi como en casa. Ya no tenía miedo. Cerró los ojos mientras se elevaba desde el suelo. Mientras cada fibra de su cuerpo se iba deshilando y él se descomponía, se sentía más ligero, más liviano. El rayo le estaba rodeando y, cuanto más se acercaba a él, mejor se sentía. Suspiró. Cuando terminó de expulsar el aire de sus pulmones sintió una explosión en su interior. No sintió nada más.

Desapareció.

El silencio que siguió fue irreal. El viento amainó y las voces se callaron. El mar dejó de rugir, se retiró lentamente, y la luna pareció recuperar su tamaño normal.

Maya comenzó a llorar, aunque no era consciente de ello. Solo lo notó cuando un par de lágrimas le rodaron por la cara. Percatarse de su reacción le hizo todavía más daño, y empezó a sollozar.

Rudy contemplaba la escena estupefacto. Su amigo había desaparecido delante de sus ojos. Le faltó la respiración y le urgió llenar de aire sus pulmones. La inspiración le supo a lágrimas.

—¿Qué hemos hecho? —gritó desesperado mientras se ponía de pie—. ¿Qué hemos hecho?

Se llevó ambas manos a la boca y cayó de rodillas sobre el suelo. No le importó hacerse daño. Miró a Maya y sintió una bocanada de odio ardiéndole intensamente en la boca del estómago. Había sido su idea. Todo era su culpa. Su amigo se había evaporado en el aire por su estúpido plan.

El odio duró poco tiempo, justo lo que tardó en ser consciente de que él también se llevaba una porción del pastel de culpabilidad: había iniciado el rumor fatal, y ahora su amigo ya no estaba. Se lo había tragado el Olvido.

Estaba derrotado, hundido. Se limitó a susurrar su nombre una y otra vez: «Ash». Primero, flojito, para que solo lo escuchase él. Después, un poco más fuerte. Y todavía más fuerte, hasta que el nombre pasó a ser un alarido desesperado que retumbó en la cueva e hizo que el eco lo repitiera una y otra vez hasta envolverlos por completo.

Arnaud y Charlotte continuaron inmóviles. Nadie sabía la verdad, excepto ella. Las cartas habían arrojado un dictamen claro: no iban a tener éxito. Pero ella había estado tan esperanzada, había deseado tanto que su plan funcionara, que no comprendió que mintiendo a sus amigos cometía un error. Se sentía tan culpable que no podía ni llorar.

De pronto, la cueva quedó sumergida en los destellos de la luz amarilla que tan bien conocían. Su origen quedaba claro. Provenía de una abertura en la roca; una rendija apenas, pero capaz de desatar un haz de luz tan intenso que iluminaba la sala de piedra como si fuera de día.

Se vieron obligados a cerrar los ojos. El brillo se estaba volviendo cada vez más intenso y amenazaba con cegarlos. Cuando se atrevieron a mirar de nuevo, ni siquiera pudieron parpadear: Ash estaba de vuelta, delante del grupo y tan sorprendido como sus amigos.

Rudy corrió hacia él y se fundieron en un abrazo.

LA LUNE

No recordaba nada.

Después de que Rudy lo soltase, se quedó quieto, apoyado en una roca y mirando al vacío. No tenía respuestas para ninguna de las preguntas que le dirigían sus amigos. Su último recuerdo era la imagen del haz de luz brillante y la calidez que sintió cuando dejó que le engullera.

Maya suspiró, se levantó y miró al cielo a través de la abertura de la cueva. El mar estaba en calma, pero se habría sentido más cómoda si no fuera así. La sensación de fracaso la abatía. Con aquel plan descabellado no se había conseguido nada, a excepción de poner a Ash en peligro.

Estaba agotada. Le dolía la cabeza. Todo le daba vueltas y estaba segura de que acabaría desfalleciendo si no dormía un poco, así que cerró los ojos. Fue un acto involuntario, pues no pretendía quedarse dormida allí, en la cueva, de pie. Cuando cerró los ojos, lo que percibía con sus otros sentidos adquirió una relevancia inusitada.

—No se escucha nada —dijo sorprendida—. Siempre hay ruido en esta cueva. Tú nos lo has dicho, Arnaud. El rugido del mar y el silbido del viento nunca cesan a través de las galerías. Pero ahora no se oye nada. Prestad atención.

Dejó de hablar y extendió los brazos para dar énfasis a sus palabras:

—Ni siquiera hay eco.

—¿No te cansas, Maya? —Rudy se quitó la gorra y se rascó la cabeza—. ¿No podrías callarte tú también?

Maya le miró furibunda e intentó replicar. Apretó los puños y soltó un bufido. Estaba claro que Rudy jamás podría comprenderla: él no había perdido nada a causa del Olvido.

No le faltaba razón para pensar así. Rudy jamás podría entenderla, pero no porque no hubiera perdido nada, sino porque temía perder lo que tenía. Durante los últimos días, el chico se preguntaba sin cesar lo que ocurriría si lograban dominar la fuerza nefasta del Olvido.

Su conclusión era invariable: se olvidarían de él. Cada uno recuperaría su vida y, entonces, dejarían de necesitarle. Se reencontrarían con amigos, volverían a sus vidas de siempre y le olvidarían, le dejarían solo en un rincón y, con algo de suerte, le darían los buenos días. Tenía la certeza de ese desenlace. Para Rudy esa forma de Olvido resultaba mucho más devastadora que la fuerza a la que se estaban enfrentando. Ese Olvido era el que realmente dolía. Era la tragedia a la que se enfrentaban miles de personas a lo largo y ancho del mundo todos los días.

A Rudy le dolía que Maya se esforzara tanto por recordar, pero no podía decírselo. Le daba miedo que dejara de hacerle caso. No se le escapaba el hecho de que ella ni siquiera se había dado cuenta de que aquella noche él había arriesgado su vida para salvarla.

Estaba absolutamente convencido de que en cuanto se solucionara todo ella volvería a ignorarle. La odiaba y la quería al mismo tiempo: aunque le encantaba su carácter apasionado, esa era la razón por la que terminarían alejándose.

«¡Qué complicadas son las cosas!», resopló Rudy ante sus propios pensamientos. Se tumbó sobre la piedra y las tripas le rugieron al instante.

—Tengo un agujero enorme en el estómago —dijo al aire, para romper la tensión impuesta por el silencio—. No. No es un agujero. Es una grieta, una grieta ancha y profunda que demanda comida y que no va a llenarse nunca. Es un agujero negro. ¡Un agujero negro que va a tragarse todo el desayuno y aun así exigirá más!

Agujero… Grieta… Arnaud se levantó de golpe y caminó decidido hacia el borde del agua. Su expresión era de absoluta perplejidad, el ceño fruncido y la mirada perdida. Tenía apretada la mandíbula y su mano enguantada se movía al ritmo de un compás que solo él conocía, adelante y atrás, siguiendo el ritmo vertiginoso con que giraban sus pensamientos.

—¡Un agujero! —chasqueó los dedos—. Eres un genio, Rudy. ¡Un genio!

Rudy se incorporó, parpadeó un par de veces y se señaló a sí mismo, entre sorprendido y halagado. No podía contener la risa.

—¿Yo? ¿Un genio? —soltó una carcajada y entrecerró los ojos, se colocó la gorra de modo que le tapara la mitad de la cara y engoló la voz como si fuera una estrella de cine ante un micrófono—. Sí… bueno, mi madre… mi madre me lo ha dicho desde siempre, pero, en fin —carraspeó con falsedad—, yo nunca he querido hacerle caso, pero reconozco que tiene razón.

—Cállate, Rudy —le espetó Maya mientras se levantaba y le daba tal golpe a su visera que hizo que se le tapara toda la cara—. ¿A qué te refieres, Arnaud?

—Un agujero negro… —dijo con aire misterioso—. Eso es el Olvido. Un agujero negro que se traga las palabras. Por eso al día siguiente olvidamos lo que han dicho. ¡Eres un genio, Rudy!

—*Mais je ne le comprends pas,* Arnaud. —Charlotte se adelantó y se cruzó de brazos demandando una explicación—. No entiendo adónde quieres llegar. ¿Qué tiene que ver eso con que los rumores transformen la realidad?

Arnaud sonrió y les hizo una seña para que se levantaran y le siguieran hacia el borde de la cueva, donde el mar rompía tranquilo a aquellas horas de la madrugada.

—Todo encaja. Llevaba un tiempo dándole vueltas, pero no sabía sobre qué punto tenían que girar mis elucubraciones, y acabo de darme cuenta. —Arnaud estaba emocionado—. Todo está claro.

—¿Qué? ¿Qué? —Rudy dio un par de saltos impaciente—. No me entero de nada.

—Mirad allí.

Arnaud señaló con su mano enguantada un punto en la pared de roca, justo donde rompía el mar y los animó a descubrir lo que ya estaba claro para él:

—Desde ahí salía la luz que envolvió a Ash. Echadle un vistazo.

Todos se fijaron en la abertura. Era una grieta en las piedras, prácticamente imperceptible a simple vista. Cuando la marea estaba alta, quedaba oculta por el agua, pero a aquella hora, con la marea bajando, se hacía reconocible.

—¿Qué es eso? —preguntó Maya al asomarse—. Veo un brillo al fondo. Es… el mismo brillo que tienen las rocas en esta cueva. Del mismo color amarillento que tiene el rayo de luz que sale del agua. ¿Qué es ese brillo, Arnaud? ¿Qué tiene que ver con todo esto?

—Son… —comenzó diciendo el chico.

—¡Corrientes telúricas! —interrumpió Charlotte cayendo en la cuenta y encajando las piezas en su cabeza—. ¡Claro! ¡Corrientes telúricas! ¿Cómo no se nos ha ocurrido antes?

—Telu… ¿qué? —Rudy se quitó la gorra después de echar un vistazo por aquella abertura y frunció el ceño—. ¿Alguien puede hacer el favor de hablar en un idioma que no suponga haber estudiado tres carreras y un doctorado, por favor?

—Corrientes telúricas, Rudy. —Maya se adelantó y palmoteó. También empezaba a comprenderlo todo—. Lo estudiamos en clase de Física el año pasado.

—Como si lo hubiéramos estudiado esta semana —refunfuñó Rudy—. Para las cosas que damos en clase no hace falta que me arrolle el Olvido. Yo solito me encargo de no acordarme nunca de nada.

El chico se sentó sobre un saliente en la roca, se cruzó de brazos y sonrió irónicamente, demandando aún una explicación. Era una pena que no tuvieran palomitas, pensó Rudy cuando Ash se sentó a su lado; lo que iban a presenciar seguramente era un espectáculo.

—Las corrientes telúricas —empezó Arnaud— son un tipo de energía que se encuentra bajo la superficie terrestre. Dependen de los cambios en los campos magnéticos de la Tierra, dirigidos siempre por el polo norte y el polo sur, y a veces son el resultado de las tormentas.

—¡Aquí hay muchas tormentas!

—Exacto —continuó Charlotte—. Seguramente en esta isla las corrientes telúricas tienen mucha influencia, precisamente por las tormentas. Se dice que se atraen, porque por el día se mueven alrededor de la Tierra de manera horizontal y por la noche de polo a polo. Se supone que si alguien llega al centro de la

Tierra, a través de estas corrientes, podría controlar toda la energía del planeta, pero nadie ha podido comprobarlo.

—Vale, muy bien —concedió Rudy—. Pero ¿qué tiene que ver eso con lo de los rumores y el Olvido y todo lo que nos pasa?

—La luna, Rudy. La luna y las corrientes marinas.

—¿Cómo?

Maya intentó conservar la calma.

—Rudy, ¿dónde has estado exactamente en estos ocho años que llevas en el colegio? ¿No te has preguntado nunca por qué a veces la marea sube tanto?

—Sí, claro. Ya tengo suficiente con pensar en qué manjar nos aguarda en el comedor a mediodía y en la cena como para comerme la cabeza pensando en el mar. —Rudy se estaba hartando de que le trataran como a un tonto. Ash, a su lado, sin embargo, escuchaba con atención—. El mar es el mar. Y punto.

—No, Rudy, el mar no solo es el mar. Los movimientos del agua del mar, las corrientes, las mareas, el oleaje… todo eso depende de la luna. Y esta isla se encuentra muy alta en el mapa terrestre. Estamos a cuarenta y cinco grados de latitud norte. ¿No has oído hablar nunca de la bahía de Fundy?

—¿Tú has oído hablar alguna vez de mi tía Henrietta? —preguntó él, a la defensiva—. No, ¿verdad? Yo tampoco he oído hablar de la bahía esa.

—¡La bahía de Fundy es el lugar de la Tierra donde son más altas las mareas! ¡Claro! —Charlotte no podía creerse que estuvieran desentrañando el misterio—.

Está en la costa atlántica de Canadá. La isla de Bran se encuentra en paralelo a esa bahía. Todo encaja.

—Tu culo es lo que encaja, Charlotte.

—No seas grosero, Rudy, que te lo estamos explicando —intervino Maya, sin evitar una risita ante el comentario de su amigo—. Aquí, a veces, la marea sube hasta cubrir el espigón. Eso sucede por la influencia lunar.

—Cuando sube la marea, el mar penetra en esta abertura, y el agua y las corrientes telúricas generan una descarga eléctrica que hace que todo quede unido. El mar. La luna. Las corrientes —puntualizó Arnaud.

—¿Y qué tiene que ver eso con los rumores, con las palabras? ¿Por qué los rumores se hacen realidad?

Su pregunta caía en saco roto, pues ninguno tenía una respuesta que ofrecer. Sin embargo, sentían que estaban cerca de descubrir qué ocurría en la isla…

—¿Por qué los rumores se hacen realidad? —insistió Rudy levantando la voz, con la intención de que los demás despertaran del letargo en el que les habían sumido sus pensamientos. Sus palabras se repitieron una y otra vez por efecto del eco.

Su voz retumbaba en las paredes. Cuanto más resonaba, cuanto más se repetía su interrogante, más brillaban las rocas. Daba la impresión de que las palabras que había pronunciado Rudy rebotaran como una pelota de tenis por la superficie de la cueva, chocando aquí y allá. Y a cada bote, mayor brillo adquiría cuanto los rodeaba.

—El eco —clamaron todos al unísono.

—Debe de haber un escape de corrientes telúricas a través de esta abertura, y eso impregna de energía esta cueva. —Arnaud hablaba con aire ensoñador. Su sueño era convertirse en científico, y sentía verdadera pasión por estos asuntos—. Por eso brillan las rocas. Es alucinante.

Rudy puso los ojos en blanco. Para él, lo alucinante era tener unos amigos tan grillados.

—Y la isla está hueca —continuó Arnaud—. Eso lo sabemos. Esta es solo una cueva más. Hay miles de galerías que parten de aquí. Además de las que no conozcamos. Algunas fueron creadas por las corrientes subterráneas del mar. Todas las galerías podrían estar interconectadas y…

—¡Y algunas van a dar a las dependencias del colegio!

Rudy por fin estaba comprendiéndolo todo. Veía con claridad el puzle casi completo en su cabeza, y se levantó, mientras aplaudía contagiado de emoción.

—¡Por eso esta cueva nunca está en silencio! —Los demás le miraron y se quedaron en silencio. Con ese comentario, el chico se había adelantado al razonamiento de sus amigos, que se quedaron tan sorprendidos que perdieron el habla—. ¿No?

Rudy los miró receloso. A lo mejor no se había enterado de nada y había metido la pata. Se sentó de nuevo. Odiaba pensar tanto. Le daba dolor de cabeza. Y, encima también le daba hambre. Sus tripas rugieron y el eco repitió el rugido. Con tanto rugido, tuvo la impresión de estar en la selva.

—Exacto, Rudy —dijo finalmente Arnaud—. Lo que se escucha aquí son las voces de todos nosotros cuando estamos arriba, en el colegio. Las voces tienen que escaparse por algún resquicio para llegar hasta aquí, y luego las galerías y el eco se encargan de repetirlas y repetirlas y repetirlas. Se repiten tanto que las corrientes telúricas y su energía en esta cueva las transforman y las hacen realidad. Por eso el rumor de Ash se formó tan rápido, porque lo creamos en este punto de la isla.

Charlotte se adelantó y se agachó junto al agua del mar que caía sobre la pequeña falla abierta a las corrientes. Su mano se tiñó del extraño brillo dorado.

—¿Y qué ocurre con el Olvido? —preguntó mientras se levantaba—. ¿Por qué ocurre? ¿Por qué se lleva todo lo que ha sido tocado por un rumor?

—Es resultado de la propia naturaleza de los rumores, Charlotte.

—¿Cómo?

—¿Cuánto dura un rumor? ¿Un día? ¿Dos? Los rumores no son eternos. Pronto quedan sustituidos por otros. Y estos nuevos, a su vez, por otros. —Arnaud la imitó y tocó también el agua con su mano enguantada—. Los rumores serpentean de boca en boca. En circunstancias normales, ¿qué ocurriría? Se olvidarían y no pasaría nada. —Hizo una pausa para colocar sus pensamientos—. Sin embargo, aquí los rumores se hacen realidad… No, corrijo: las palabras transforman la realidad a su voluntad. Es normal que al llegar la noche desaparezcan.

—Pero ¿por qué?

—Porque por la noche estamos durmiendo y no hay rumores. No llegan voces a esta cueva. El rumor pierde fuerza. La materia creada por el rumor tiene que desaparecer de alguna manera. De ahí el agujero negro. Por eso el Olvido solo viene por la noche, que además es cuando la luna preside el cielo.

—Y cuando suben las mareas —secundó Maya.

—¿La luna controla al Olvido? —inquirió Rudy.

—Exacto —explicó Arnaud con entusiasmo—. Las corrientes telúricas crean los rumores, pero la luna es la que se encarga de disiparlos.

—Entonces… —preguntó Rudy con cautela—, ¿por qué Ash no ha desaparecido?

L'HERMITE

Arnaud y Charlotte se miraron con nerviosismo, con un breve vistazo que delataba un vínculo mucho más profundo que la complicidad.

Había llegado el momento de decirlo.

—Chicos, Ash es… Ash es… —Arnaud entrelazó las manos y pudo sentir cómo le sudaban a través de la textura del guante de cuero.

Estaba a punto de confesar lo que él y Charlotte sabían desde el comienzo, y era la forma de otorgar realidad a ese hecho imposible. No solo real a la manera de lo que ocurría en el colegio a través de las corrientes telúricas. Más bien como solo puede hacerse a través de la confesión de un secreto en voz alta. Pero no quedaba más remedio.

—Ash es…

—Un rumor —intercedió Charlotte, consciente de que Arnaud era incapaz de completar la frase.

Ash dio un paso atrás.

—Sí, claro —dijo Rudy entre risas—. Y mi tía Henrietta es la reina de Inglaterra. La falta de horas de sueño ha hecho que se les funda el cerebro a estos dos.

Pero el semblante de Ash resultaba más sospechoso que la revelación. Estaba lívido, y no sabía qué argumentar para contradecirlos.

—No, Rudy, Ash es un rumor —continuó Arnaud con cautela para no herir los sentimientos de su amigo—. Fuimos nosotros quienes le invocamos.

—¿Qué? —Rudy no daba crédito a lo que estaba escuchando, y mucho menos crédito le daba a que Ash no respondiera, a que se limitara a dar un paso atrás—. ¿De qué narices estáis hablando?

—Nosotros trajimos a Ash —aseguró Charlotte—. Me lo han confirmado las cartas. Por eso no ha desaparecido, porque es un rumor que todavía no se ha hecho realidad: solo desaparecen los rumores que se cumplen, se olvidan y llegan al final de su ciclo.

—A vosotros os ha sentado mal la cena o habéis respirado tantas veces el aire viciado de estas cuevas que —Rudy se llevó el índice a la sien y giró la muñeca un par de veces para indicar con un gesto lo que refrendó con palabras— os habéis vuelto completamente majaretas. Ash es mi amigo, le conocéis perfectamente.

Rudy se acercó a él a grandes zancadas, le cogió de los hombros y lo mostró ante los demás zarandeándole para que, en su opinión, espabilase.

—Miradlo, aquí está, con su pelo moreno, sus ojos marrones, sus pocas palabras, su seriedad congénita y el uniforme así, mal colocado, como siempre. Ash es Ash. ¡No es un rumor!

Ash no hizo nada por evitar que Rudy le manejase a su antojo. Cuanto más lo pensaba, más se convencía de que Arnaud y Charlotte tenían razón. Ahora le parecía haberlo sabido desde siempre, y hasta creía haberlo soñado. Él era Ash, pero también era un rumor. No era necesariamente malo. No tenía por qué haber ninguna diferencia.

Entonces se alegró de escuchar aquellas palabras en boca de sus amigos. Se alegró también de que Rudy negara la evidencia, porque eso demostraba el grado de su amistad.

Y lo más importante era que ahora tenía una razón de ser. Un motivo para estar allí. Si se había hecho realidad era por algo. Había llegado el momento de descubrirlo.

Dejó de sentirse en las sombras y se armó de valor. Le puso la mano a Rudy en el hombro, se lo apretó y dio un paso al frente con el semblante tranquilo.

Ash se puso en el centro del círculo formado por sus amigos y cerró los ojos. Sabía lo que tenía que hacer. Tenía que prestar atención a las voces que, movidas por el eco, empezaban a llegar con el amanecer, cuando la escuela y sus inquilinos se estaban despertando. Las escuchaba todas. Gina Woof, del primer piso, le contaba a su compañera de habitación algo que había soñado. Las hermanas Clock hablaban a borbotones y no se daban cuenta de que llegarían tarde al desayuno si seguían así. También le llegaban los comentarios del profesor Martin desde su dormitorio, hablando consigo mismo acerca del partido de fútbol que había visto la noche anterior.

Abrió los ojos, miró a sus amigos y sonrió. Al compás de su sonrisa se creó a su alrededor un fulgor a juego con el brillo de las rocas de la cueva y de la abertura que se abría a las profundidades de la tierra. Si sus amigos necesitaban pruebas, él se las estaba dando.

Rudy dejó caer la mandíbula al ver brillar a su amigo. Maya dio un paso y adelantó la mano para tocarle. Su resplandor resultaba cálido, agradable. La chica sonrió y Ash le correspondió. Charlotte continuó con la explicación:

—Una noche, desesperada, bajé aquí. El Olvido había vuelto a destrozar las ilusiones de alguien y, después de que algo que esa persona deseaba se hubiera hecho realidad, se lo llevó consigo. Lo vi todo con mis propios ojos.

—Yo la seguí preocupado. —Arnaud acogió a Charlotte entre sus brazos mientras hablaba—. Nunca antes la había visto tan desesperada.

Deseé que el Olvido me llevara consigo. Arnaud lo impidió. Por eso estoy aquí.

—«Ojalá viniera alguien capaz de acabar con los rumores, con el Olvido, alguien con la fuerza para derrotarlo», fueron las palabras exactas de Charlotte cuando ya había pasado el peligro. Y yo las repetí. Aquella idea sonaba tan bien que deseé que fuera cierta.

—Supongo que lo que ambos deseamos se convirtió en un rumor y se hizo realidad.

—Al día siguiente, tú llegaste al colegio, Ash.

Rudy parpadeó. Parecía en trance. Le costaba creérselo, pero no podía negar la evidencia. Su amigo Ash, su mejor amigo, su compañero de cuarto, era un rumor. Aquel pensamiento consiguió que algo resonara en su cerebro. «¿Y qué más da?», pensó. Ash, fuera lo que fuera, era su amigo. ¿Que era un rumor? Pues muy bien, él era un payaso y nadie tenía problemas con eso. Se acercó a él y le dio un golpecito en el hombro.

—Bueno, macho, resulta que eres alguien importante. Eres, nada menos, la persona que va a acabar con el Olvido. El caballero de plata Ash, Sir Ash del Dumas, que montado en su caballo blanco nos salvará a todos y luego saldrá a celebrarlo con sus amigos, que le montarán una fiesta. —Se rio y miró a Arnaud y Charlotte—. Porque es eso, ¿no? Ash no desapareció anoche porque solo se ha hecho realidad a medias, ¿verdad? Tiene que acabar con el Olvido para completar el rumor que lo trajo. Y como acabará con el Olvido, pues todo terminará bien y por fin podremos disfrutar del desayuno sin que se nos atragante porque la luna haya hecho de las suyas, ¿no?

Charlotte asintió. Por fin acabarían con el Olvido. Por fin recuperaría a su hermana, y todo lo malo que había ocurrido se revertiría, hasta conseguir que los recuerdos regresaran a su corazón y lo sacaran de la frialdad en la que había permanecido durante tanto tiempo.

L U N A
L L E N A

LA MORT

A la hora del desayuno, Rudy se sirvió de todo lo que encontró sobre la mesa: cruasanes rellenos de chocolate, de jalea, de mantequilla. Se sirvió un par de tostadas, dos tazas de café, una de cacao y un pedazo de tarta de manzana.

—No me creíais cuando decía que tenía un agujero en el estómago y yo tengo que creeros cuando decís que Ash es un rumor, ¿no? Pues mirad, aquí tenéis la prueba —dijo dándose golpecitos en la barriga—, y todavía tengo hambre...

—Echa las cartas, Charlotte —pidió Maya interrumpiendo el discurso de su amigo—. A ver qué va a pasar.

A pesar de que el conocimiento les había dado un momento de tranquilidad, no podían relajarse, y

Maya era consciente de ello. Cuanto más sabía, más preguntas se hacía, por eso estaba ansiosa por escuchar la predicción del futuro.

Charlotte sonrió y sacó la baraja. Ella también necesitaba saber qué iba a ocurrir después de aquel día y cómo iban a enfrentarse a lo que deparaba el futuro. Cada vez que se había sentido perdida o confundida recurría a las cartas. Nunca le habían fallado, y esperaba que tampoco lo hicieran en esa ocasión.

Como si fuera la actriz principal de una producción teatral, consciente de ser el objeto de las miradas de sus amigos, dispuso las cartas sobre la mesa en un orden que respondía a su instinto.

Se concentró mientras las recogía y las barajaba de nuevo, buscando aquellas voces, esperando que las imágenes de los mensajes que le transmitían llegaran a su cerebro y supiera qué hacer con ellas.

Formuló sus preguntas mentalmente: «¿Qué va a ocurrir ahora? ¿Qué va a pasar con nosotros? ¿Cómo hemos de combatir el Olvido?».

No obtuvo respuesta.

No importaba. No era la primera vez que las cartas se quedaban mudas al primer intento. Charlotte repitió la operación. Las cartas, sin embargo, no ofrecían ninguna pista. Se sintió confundida ante la reticencia del tarot.

Hasta que su corazón comenzó a latir con fuerza y sintió la sangre bombear a lo largo y ancho de todo su cuerpo. Recibió de lleno aquella descarga eléctrica que le recorría la médula espinal y le indicaba que las cartas estaban a punto de responder. Sin embargo, no vio nada, no sintió nada. Solo descubrió tinieblas en el interior de su cabeza y le costó darse cuenta de que aquella, justamente, era la respuesta.

«Negro, todo negro», pensó Charlotte.

Un sudor frío le heló el cuerpo y descendió gota a gota por su espalda. Abrió los ojos impaciente y colocó boca abajo la primera carta del grueso mazo que sostenía en la mano derecha. Si sus sospechas eran ciertas, no haría falta darle la vuelta. Sabía perfectamente que aquella carta era...

—*La Mort*.

Un cambio doloroso, el final de una fase, cansancio, dolor, desaparición.

—Ha salido la Muerte.

Un sinfín de ideas e imágenes giraban a una velocidad vertiginosa en su cerebro. Temió no ser capaz de interpretarlas. Resultaría demasiado doloroso poner en palabras lo que había visto.

¿Cómo iba a decirles esto a sus amigos? ¿Cómo contarles que todo por lo que habían luchado estaba destinado a desaparecer? No sabía cómo hacerlo, pero no tenía alternativa.

—¿Qué ocurre? —Arnaud se asustó al descubrir la palidez que inundaba la cara de su amiga—. Charlotte, ¿qué está pasando?

Ella abrió los ojos y tragó saliva. Intentó contener las lágrimas. Bien sabía que llorar no serviría de nada. En su cabeza, las cartas habían respondido a sus preguntas... pero sería tan doloroso expresarlo en voz alta.

—El colegio… —comenzó diciendo—. *C'est iné- vitable*. La isla de Bran va a desaparecer en el Olvido cuando llegue la próxima luna llena.

Lo dijo bruscamente, de golpe, sin buscar cómo decirlo para que doliera menos. ¿Qué más daba? Todos conocían ahora el verdadero valor de las palabras y habían comprobado su enorme poder. No tenía ningún sentido disfrazar su mensaje con eufemismos. Ya no sabía qué venía antes, si la realidad o las palabras. Ignoraba si eran las palabras las que se encargaban de hacer que la realidad llegara a los demás o si, por el contrario, la realidad elegía sus propias representantes en el diccionario.

Rudy se revolvió en su asiento, incapaz de terminar el cruasán, incapaz de creerse las palabras de Charlotte.

Finalmente, Maya habló. Formuló la pregunta que todos habían querido hacer desde que escucharon el presagio de las cartas.

—Pero… ¿por qué?

—Por nuestra culpa.

La voz de Charlotte, grave de por sí, lo parecía mucho más. Fue como si la oscuridad que había sentido en la lectura del tarot se hubiera trasladado a todo lo que la rodeaba para teñirlo de negro.

—Intentamos provocar un rumor sobre un rumor. Utilizamos a Ash como el objeto de nuestras murmuraciones.

—No entiendo. ¿Cómo que es nuestra culpa? —preguntó Rudy, intentando hacer caso omiso a los malos presagios—. Nosotros no controlamos el Olvido. Es la luna, ¿no? Eso dijisteis. ¡Lo dijisteis ayer!

—Sobrecarga de energía… —reflexionó Arnaud en voz alta mientras buscaba un libro en su mochila.

Sacó el volumen y lo dejó sobre la mesa. Se puso las gafas metálicas que llevaba cuando leía y ofreció su hipótesis:

—Los rumores son el resultado de la unión entre la energía eléctrica de las corrientes telúricas y el eco. Esta energía entra en contacto con el eco de las cuevas y acaba transformando sus mensajes en realidad. Ash —puso la mano sobre el hombro de su amigo y lo apretó—, nuestro amigo Ash, es un rumor. Nació gracias a un mensaje que Charlotte y yo creamos. Ayer, cuando Rudy hizo despertar aquel rumor acerca de su ropa, fue como si… A ver, cómo explicarlo…

Hizo una pausa, se pasó la mano por el pelo, resopló y se mordió el labio inferior antes de aventurar la segunda parte de su teoría.

—¿Qué ocurre cuando cae un rayo sobre un aparato eléctrico? —preguntó, y se tomó un par de segundos para que sus amigos razonaran la respuesta—. Se produce una sobrecarga de energía que estropea el mecanismo que lo hace funcionar. Pues es lo mismo. Al provocar un rumor sobre un rumor sobrecargamos de energía el sistema, lo hemos llenado de más energía de la que puede soportar. No habría pasado nada si la cosa se hubiera quedado así, pero llegó el Olvido y se tragó a Ash, un rumor sobrecargado de energía. —Hizo otra pausa—. Podéis imaginaros el resto.

—¿El Olvido va a llegar con más fuerza que de costumbre, Arnaud? —preguntó Maya, que no estaba segura de haber entendido.

—En efecto. Como Ash no desapareció del todo, parte del exceso de energía sigue dentro del Olvido.

El chico abrió el libro por una página que estaba marcada y señaló un párrafo.

—He estado estudiando el funcionamiento de las mareas. Mirad aquí. Las mareas más altas se producen durante la luna nueva y bajo la luna llena. Pero aún hay más: en dos días, la luna, el sol y la Tierra quedarán alineados. Eso producirá las mareas más altas que se conocen: las de proxigeo. —Se detuvo para tomar aliento—. Todo encaja.

Nadie habló. Los cinco estaban sobrecogidos. La luna llena iba a atraer la tormenta del Olvido más grande que hubieran vivido. La marea subiría tanto que la escuela y la isla acabarían completamente sumergidas, y desaparecerían de la memoria de todos aquellos que la hubieran conocido.

Y ellos tenían parte de culpa.

—¿Qué va a pasar? —preguntó Rudy con un hilo de voz.

—Vamos a desaparecer todos —respondió Charlotte con la mirada perdida.

LA TEMPÉRANCE

Rudy vagaba sin rumbo por los pasillos. No había acudido a la última clase, pero no le preocupaban las consecuencias que aquello fuera a traerle. ¿Qué más daba? Al fin y al cabo, quizá no llegaran nunca. No sabía dónde esconderse. No quería ver a ninguno de sus amigos, y tampoco solo se sentía a gusto. Además, tenía cierta sensación de culpa. A su juicio, los demás se estaban tomando la situación casi con frivolidad. Parecían haber tomado lo que les iba a pasar con la misma entereza con la que él habría asumido una derrota de su equipo de béisbol, como algo inevitable contra lo que nada podían hacer. Asistían a clase como si nada. Y él estaba perplejo, era incapaz de procesar la información que acababa de recibir.

Iban a desaparecer. ¿Acaso a ninguno de sus amigos les importaba? ¡Él se negaba a dejar de existir! Y tampoco olvidaba que ellos eran responsables de lo que sucedería.

Miró a su alrededor. No había nadie. Los pasillos del ala de dormitorios se mantenían en silencio porque todos estaban en clase. Se dejó resbalar por la pared al lado opuesto de la ventana que daba al patio. Todo se veía oscuro. Al fin y al cabo, casi siempre estaba nublado en la isla de Bran. Lo echaría de menos. Ocho años maldiciendo aquellas nubes que le separaban de la luz del sol y ahora solo podía pensar en que, a pesar de todo, echaría de menos los días eternamente nublados.

Puso la cabeza entre las rodillas y se quedó quieto, esperando que pasara el tiempo.

Charlotte jamás había echado las cartas tantas veces seguidas. Lo hizo a escondidas en clase de Música. Lo volvió a hacer durante la clase de Historia y repitió el procedimiento en la clase de Lengua Española. Siempre el mismo resultado: la Muerte. Intentó formular la pregunta de maneras diferentes, deseando que las cartas la hubieran malinterpretado, pero siempre obtenía la misma figura.

No sabía qué pensar. Por momentos tenía la sensación de que su cerebro giraba muy rápido, y otras veces creía que se detenía, incapaz de pensar por sí mismo. ¿Eso era todo? ¿Se acabaría la existencia en cuanto llegara la luna llena?

Se negaba a asumirlo, pero sabía que no podía hacer otra cosa.

Aunque Charlotte había luchado y había vencido sus miedos con mucho esfuerzo, aunque había logrado liberarse del pasado, ahora lamentaba que el sufrimiento supuesto por aquellas modificaciones no sirviera de nada.

A pesar de todo, se sentía en paz.

Pocos días atrás deseaba que el Olvido la arrastrara. De ese modo, esperaba que todas sus preocupaciones, su ansiedad, sus miedos y sus reproches contra sí misma desaparecieran. Y ella, por fin, podría descansar. Creía, además, que si se dejaba engullir por el Olvido encontraría a su hermana. Era cuestión de recuperar ese deseo.

Sin embargo, la rendición incondicional dolía. La manera de pensar de Charlotte había cambiado de forma drástica en pocos días y ya no admitía la posibilidad de alejarse de sus nuevos amigos, que tanto habían luchado por ella y por sí mismos.

Hasta esa mañana, Charlotte creía conocer los abismos de la desesperación. Sabía lo que significaba levantarse todos los días con ganas de llorar, deseando cambios urgentes, o sintiendo un enfado tal que era incapaz de sonreír. Estaba equivocada y ahora lo comprendía. La desesperación era otra cosa y estaba experimentándola: tenía el corazón tan helado que ni la perspectiva de su propia desaparición le importaba.

Desde que había descubierto que era un rumor, Ash era consciente de cosas que los demás ignoraban, aunque era incapaz de expresarlas. ¿Cómo traducir los presentimientos, los latidos del corazón? Le parecía imposible. Por su condición, no podía temer al Olvido. Sabía que sus amigos sí, y quería evitarles el dolor. Pero ¿cómo?

Cuando Arnaud y Charlotte confirmaron que Ash era un rumor, solo habían puesto en palabras algo que él sabía de antemano. La revelación le produjo el mismo alivio que se experimenta cuando se tiene un nombre en la punta de la lengua pero el cerebro se niega a recordarlo, y de pronto el recuerdo se materializa. O como cuando hay un esfuerzo por evocar el sueño de la noche anterior y, en un instante inesperado, se presenta de golpe y con total claridad.

Las palabras de Charlotte no se prestaban a confusión: el Olvido era inminente y se cerniría sobre ellos durante la luna llena.

Le habría gustado asegurarles que no pasaba nada, que todo estaría bien, aunque tenía la seguridad de que para ellos no era así. Él pertenecía al Olvido y su obligación era retornar a él; pero no ellos. Quiso reventar de un puñetazo la pared que tenía enfrente, aun sabiendo que con eso no resolvería nada.

Le podía la frustración. Sus horas estaban contadas y no podía hacer nada para atajar el tiempo, para evitar la llegada de la luna llena. De tener la posibilidad, Ash entregaría todo lo que tenía para salvarlos. Rebuscó en su cabeza e intentó comprender su naturaleza, pero no llegó a ninguna conclusión.

No pensaba perder más tiempo porque se les había agotado. Quedaban cuarenta y ocho horas. Arnaud, resuelto a no dejarse vencer por las circunstancias, pensó que le resultarían suficientes. A pesar del presagio de las cartas, a pesar de que todas las señales apuntaran hacia el mismo sitio, se resistía a rendirse. Como científico, creía que la vida siempre se abría camino.

Sobre sus hombros caía la misión de descubrir el modo de contrarrestar la fuerza de la próxima tormenta del Olvido. Estaba encerrado en la biblioteca, ajeno a las clases y a lo que sucediera en el colegio. Pero los libros tampoco le ofrecían una solución.

Los libros, que siempre le habían acompañado, resultaban inútiles en medio de su frustración.

Arnaud cerró de golpe el enorme manual científico que consultaba y dejó caer la cabeza sobre sus tapas. Tenía la certeza de que la clave para sobrevivir estaba en las palabras. Las palabras no solo constituían el medio a través del cual viajaban los rumores, sino el modo en que se expresaban los deseos, los sentimientos, las convicciones… Algo tan fuerte y tan poderoso no podía ser menos que el Olvido.

Su ecuación parecía clara, pero, a pesar de su teoría, se encontraba en un camino laberíntico, sin salida. ¿Dónde estaban sus amigos? ¿Por qué habían perdido la esperanza?

Al principio él también la había perdido. Al recibir la noticia sintió que le despojaban de todo, que ninguna acción pasada o futura tenía sentido. Como si su propia existencia no hubiera tenido objetivo alguno. Él sabía que no era así. Había muchas cosas de su vida que quería conservar. No iba a rendirse tan fácilmente.

Todo lo que conocía iba a desaparecer, y a Maya esa idea le había quitado cualquier motivación. ¿De qué servía ir a clase si a fin de cuentas el futuro no existía?

Después de desayunar se encerró en su cuarto y, tras algunos minutos de total inmovilidad, examinó lo que había logrado conseguir desde que su anterior vida desapareciera por arte de magia: un póster nuevo, una colcha que habían robado de la enfermería y sobre la que había cosido varios trozos de tela simulando un tejido antiguo de *patchwork*, una rosa de papel que Rudy le había hecho un día que ella estaba triste… No era mucho, pero era todo lo que tenía, lo único que consideraba suyo.

Suspiró y su cuerpo recuperó la movilidad. Estaba oscuro, aquella mañana no parecía presagiar lo que llegaría a continuación. En lugar de ofrecer un paisaje diferente, ofrecía las mismas nubes oscuras de siempre, que se movían tan rápido como siempre y que dejaban traspasar la luz del sol de forma tan limitada como siempre.

Maya pensó en aquella palabra: «siempre». Desde niña le había parecido que tenía el valor que le daba todo el mundo, que se refería a un periodo de tiempo tan indeterminado como grande. Ahora era diferente. Se sentía incapaz de pronunciarla o incluso de pensar acerca de su significado.

Hasta el momento en que el rayo de luz cambió su vida, se había sentido segura dentro del colegio, con un estatus definido e inamovible. Pensaba que lo tenía todo y que nada tenía por qué cambiar, pero no había sido así. La palabra «siempre» quedó borrada de su vocabulario desde entonces, así como tantas otras que, por miedo, ahora no se atrevía a decir en voz alta.

Maya fue hacia la estantería y cogió un cuaderno. Estaba en blanco. Tomó un bolígrafo, se sentó en el suelo y comenzó a escribir. No sabía por dónde empezar. Tenía la sensación de que, si iba a desaparecer, tenía que dejar un legado. Escribir todo lo que habían vivido le pareció la mejor idea.

Se le vino a la cabeza una frase que había oído un millón de veces: «Las palabras se las lleva el viento», y concluyó que al quedar consignadas sobre el papel, la cosa cambiaba. Contar todo lo que había ocurrido le proporcionó una sensación relajante y pensó que con ello entraba en la eternidad. Como si a través de aquel diario que acababa de comenzar su existencia fuera a quedar inmortalizada en algún sitio, inmune al Olvido.

Lo lógico era que el Olvido, al cernirse sobre sus cabezas, también eliminara el diario. Pero ¿y si no era así? Quería intentarlo al menos, fijarse en su situación actual, con sus pensamientos, con lo que sentía, con lo que temía, apuntalarse en algún sitio del que nadie pudiera sacarla, aunque solo fuera a través de las palabras. Si alguien, algún día, llegaba a leer el diario, conseguiría hacerse una idea de quién fue. Y, ¿quién sabe?, quizá traerla de vuelta.

Maya no dejó de escribir en toda la mañana. Lo hizo sin detenerse en lo que ponía y sin revisar una sola coma. Escribía de manera automática. Los pensamientos se agolpaban en su cabeza y las propias palabras se le atragantaban en el cerebro, pero no disminuía el ritmo.

Solo levantó la cabeza cuando llegó a la parte en la que se había metido en su habitación a escribir. Lo había escrito todo.

Ahora se sentía en paz consigo misma. Al final el Olvido la había hecho mucho más consciente de lo que la rodeaba y le había enseñado a valorarlo. El dicho tenía razón: las cosas alcanzan su verdadero valor una vez que se pierden.

El pensamiento le provocó un cortocircuito por todo el cuerpo. Se levantó de golpe. Había tomado una decisión: no estaba dispuesta a perder lo que tenía ahora.

—Estás aquí… —Al salir de la habitación, Maya se dio de bruces con Rudy, que estaba sentado en el suelo, con la cabeza entre las rodillas.

Rudy levantó la cabeza al escucharla. Su instinto le indicaba que debía mostrarle al menos una sonrisa, pero no le salió. Ya ni de eso era capaz.

—No se me ocurrió otro sitio donde esconderme —respondió al cabo de un par de minutos.

Maya sonrió y se deslizó por la pared hasta quedar sentada a su lado. No le dijo nada. Permanecieron en silencio durante un tiempo. Ambos sabían por lo que estaba pasando el otro y compartir el silencio les hizo sentirse cómodos. Eran amigos y podían permitirse ese tipo de comunicación, callar y disfrutar de la compañía. Comprobaban que, a pesar de todo, no estaban solos.

Al cabo de un rato, Maya habló. No porque se sintiera obligada, sino porque realmente quería hacerlo. Había algo que quería decirle.

—Oye, Rudy...

Él levantó la cabeza de entre sus rodillas con un movimiento automático. Todavía sentía un violento salto dentro de su cuerpo, como si todos sus órganos rebotasen, cada vez que escuchaba a Maya pronunciar su nombre.

—Quería decirte que... —carraspeó ella—. Quería decirte que...

Le resultaba difícil hablarle y no porque no supiera qué decir. Todo este tiempo de rumores y de Olvido le había hecho descubrir el verdadero valor de las palabras; comprender su uso correcto, y ser testigo del efecto que podían conseguir pocas sílabas sobre una persona, y sobre ella en especial. No era solo que en aquel colegio, a través de aquellos nefastos rumores, las palabras transformaran la realidad. Era algo mucho más profundo. Se había dado cuenta de que ella misma se encontraba en las palabras que decía.

No mucho tiempo atrás, Maya hablaba sin pensar. Las palabras salían de su boca sin tener una conciencia clara de lo que hacía. Pensar en lo que decía, seleccionar con cuidado las palabras con las que iba a formular un mensaje para no generar rumores, le había llevado a comprender lo vitales que resultaban. Ni ella, ni ninguno de sus amigos, serían los mismos sin las palabras que salían de sus bocas. Con ellas decían lo que pensaban, lo que sentían. Cada uno tenía su manera particular de hacerlo: Rudy, atropelladamente, como si no fuera capaz de parar y le faltara el aire hasta para respirar; Charlotte, con aquel acento francés que la caracterizaba, las palabras lentas y alargadas, bailando en la punta de su lengua; Ash, con palabras contadas con los dedos de una mano, siempre alerta, expresando mucho más a través de lo que callaba que de lo que salía de su garganta, y Arnaud, siempre con la frase justa en el momento oportuno. Se preguntó cómo verían los demás el uso que ella misma hacía del vocabulario.

No imaginaba un futuro silencioso sin una sola palabra que lo rompiera. La extraña comodidad que sentía con Rudy en medio del silencio no habría sido posible de no existir un torrente de palabras y mensajes anteriores.

—¿Qué quieres decirme, Maya?

A Rudy no le extrañaba que su amiga tuviera dificultades para expresarse. En pocas horas podrían desaparecer, podrían morir, hasta podrían entrar en una dimensión desconocida digna de la peor película de serie B.

Como fuera, presentía que Maya tenía que decirle algo importante y le daba rabia que se frenara. Siempre le había molestado el hecho de perder el tiempo en tonterías, dejando lo más importante para el final. Él también cometía ese error, sin embargo. Con los exámenes, por ejemplo. Perdía el tiempo en multitud de cosas que no le llevaban a ningún sitio y acababa estudiando el día antes.

Se prometió a sí mismo, pasara lo que pasara durante la luna llena, terminara siendo un nuevo Rudy o no, que nunca más dejaría lo importante para el final. Entendió que nunca se sabe si habrá suficiente tiempo para llevar algo a cabo.

Logró dibujar una sonrisa en su rostro y eso bastó para que Maya se dirigiera a él.

—Quería darte las gracias, Rudy.

Rudy se sobresaltó y no pudo evitar sonrojarse.

—¿Por qué? —fue lo único que atinó a decir.

—Por salvarme la vida la otra noche.

Rudy hizo un gesto de falsa modestia, frunciendo los labios y entrecerrando los ojos, dando a entender que no tenía importancia. Después sonrió con autosuficiencia.

—No te preocupes. Lo habría hecho cualquiera.

—No, Rudy. No lo habría hecho cualquiera —Maya puso su mano sobre la rodilla de él y se la apretó—. Eso solo lo hace un buen amigo. Quería decírtelo porque podrías pensar que no me di cuenta o que no lo valoré. Me di cuenta en ese momento, pero no he sido consciente hasta hace un rato de lo importante que fue. Es lo más bonito que alguien ha hecho nunca por mí.

A Maya se le humedecieron los ojos antes de continuar.

—Gracias, Rudy, de verdad. Por todo. Por salvarme la vida, por lo que has estado haciendo desde la noche en que casi caigo presa del Olvido. No habría sido capaz de superarlo de no haber sido por ti, sin tu compañía, sin tu sonrisa, sin tus palabras de aliento. Me hiciste entender que no estaba sola. Sé que no he sido la mejor amiga del mundo, que me he comportado de manera obstinada, que he estado obsesionada con recuperar lo que había perdido sin darme cuenta de lo que había conseguido al perderlo.

La chica hizo una nueva pausa para recuperar el aire y retomó su discurso mientras Rudy la miraba con la boca abierta.

—Gracias, Rudy. Me he dado cuenta, quizá demasiado tarde, de lo que he hecho: y todo ha sido gracias a ti.

Él no supo qué decir. Ni en sus mejores sueños habría sido capaz de imaginar que Maya, la chica de la que llevaba enamorado desde que tenía uso de razón, pudiese confesarle algo semejante.

Después de su sorpresa inicial, abrió la boca. No pensó lo que iba a decir. A fin de cuentas, no se caracterizaba por pensar demasiado. Pero quizá no necesitaba pensar las palabras que siguieron. Quizá llevaban tanto tiempo en su garganta que simplemente esperaban a la persona que supiera comprenderlas.

—No quiero morir, Maya —dijo en un susurro sin dejar de mirarla—. No quiero que esto acabe. Me encanta el colegio, quiero pasar mucho más tiempo con vosotros. No quiero olvidaros, Maya. No quiero… No quiero desaparecer en el Olvido.

Maya le miró fijamente. Hacía pocos minutos reflexionaba sobre lo cuidadosa que tenía que ser con las palabras y, de pronto, podía hablar con la facilidad de una oradora profesional. A lo mejor, según con quién hablase, las palabras correctas acudían sin barreras desde el corazón.

—Yo no voy a olvidarte, Rudy —le respondió con firmeza—. No me importa lo que pase durante la luna llena. No importa qué se lleve la luz del Olvido. Yo no te olvidaré. Estoy segura de eso —se interrumpió para suspirar—. Y si te pierdes te encontraré.

Rudy no dijo nada. Bajó la cabeza y la visera de su gorra ocultó la sonrisa más sincera que le había dirigido a alguien en su vida. Maya no la vio, pero supo que estaba allí, en la cara de Rudy. Estaba convencida de que si le recordaba así, sonriendo, sabría dónde encontrarle.

Buscó su mano sobre el suelo y se la apretó con fuerza.

—Estáis aquí. Llevo buscándoos un buen rato —les sorprendió la voz de Arnaud—. Venid conmigo. Los demás nos esperan en la cueva. Tengo un plan.

LE BATELEUR

Si en el exterior, en el colegio, en las playas, en el pequeño bosque contiguo al Dumas, nada parecía presagiar lo que iba a traer la luna llena, en el interior, bajo los cimientos, en aquella cueva llena de susurros y voces silbantes, la cargada atmósfera sí parecía anunciar la dura batalla que se iba a librar en la isla de Bran.

Charlotte estaba sentada sobre un saliente de la roca y se componía la falda del uniforme con aire distraído. Su mente viajaba por los recuerdos que le quedaban y que corrían peligro de desaparecer.

El sol se estaba poniendo y el tiempo se agotaba. Al día siguiente, a aquella misma hora, la luna, la Tierra y el sol quedarían alineados y se produciría la marea de proxigeo.

La luna, artífice involuntaria del Olvido, debido a la carga de energía que tantos rumores habían acumulado sobre la isla, traería consigo la tormenta del Olvido más potente que nadie pudiera recordar.

—*Et bien?* —Charlotte se puso a la altura de Ash cuando llegaron sus amigos a la cueva. Parecía haber regresado a la Charlotte del principio, aquella chica fría e independiente que no necesitaba de nadie—. ¿Para qué nos has reunido aquí, Arnaud? Sabes tan bien como yo que las cartas no se han equivocado nunca. Nada podemos hacer contra el Olvido. Ya está todo perdido.

Su voz sonaba fría y distante. Era como si no hablara de ellos mismos, como si se refiriera a otras personas cuyo destino no les afectara, los personajes de una película o de un libro. Había cerrado su corazón a todo sentimiento y se encontraba preparada para lo que fuera a venir. El miedo había dado paso a la desilusión, al sometimiento: Charlotte había decidido no ofrecer resistencia a la luz de la luna.

—Nada terminará hasta que nosotros lo demos por terminado, Charlotte —sonó clara y segura la voz de Arnaud—. He pensado en algo.

Ella le miró, con serias dudas de que tuviera algo con que convencerla lo más mínimo. No quería hacerse ilusiones. Se había rendido. Quería esperar tranquila la llegada del Olvido y, después, descansar.

—¿En qué has pensado, Arnaud?

Maya se levantó del saliente y le sonrió. La conversación con Rudy le había insuflado energía y estaba dispuesta a llegar hasta el final.

—Es algo complicado… —musitó Arnaud entre dientes.

—No importa —dijo Rudy—. Estoy con Maya.

Ash sonrió. Charlotte puso los ojos en blanco, rindiéndose ante la evidencia, pero en absoluto convencida.

—Está bien… —dijo—. ¿Qué propones?

El chico resopló y miró al horizonte antes de hablar. Parecía que el sol se sumergiera en el mar tiñéndolo del color de la sangre. Apenas tenían tiempo. No podían permitirse perder un segundo más.

—He estado pensando… ¿Alguno de vosotros ha oído hablar de la paradoja del cuentista? También se conoce como la paradoja del mentiroso.

Sus amigos negaron con la cabeza.

—¿No? —Arnaud suspiró. Aquello iba a ser más complicado de lo que pensaba—. La paradoja del cuentista es un concepto filosófico que trata acerca de lo fina que es la frontera entre la verdad y la mentira que puede haber en las palabras.

Rudy frunció el ceño contrariado. Se temía que Arnaud soltara una explicación aburrida y complicada, llena de términos que él no entendería. Estuvo a punto de interrumpirle, pero vio que sus amigos escuchaban con total atención y decidió hacer un esfuerzo.

—Veréis —dijo Arnaud intentando simplificar aquel entramado concepto—, si yo digo «esta frase es una mentira aunque la anterior es verdad» estamos delante de una paradoja porque, si la analizamos, nadie podría saber si lo que estoy diciendo ahora es verdad o no lo es. ¿Lo comprendéis?

—¿Te has dado un golpe en la cabeza, tío? —interrumpió Rudy, olvidando su intención de entenderle—. ¡No! Se ha vuelto loco. ¡El Olvido le está volviendo loco!

Maya chasqueó la lengua y le propinó a su amigo un manotazo en la nuca para que se callara. Los demás asintieron complacidos y Rudy se quitó la gorra mientras rumiaba maldiciones y se palpaba el lugar donde había recibido el golpe.

—Continúa, Arnaud —pidió Maya con una sonrisa—. No sé si entiendo bien a dónde quieres llegar… ¿Propones que creemos un nuevo rumor? ¿Uno tan ambiguo que nadie sepa si es verdad o mentira?

—Exacto, Maya. Ahí es precisamente donde quiero llegar —dijo él entusiasmado—. Tenemos que confundir a la luna.

—¿Confundir… a la luna? —Rudy estaba cada vez más perplejo—. ¿Confundirla? ¿Engañarla? ¿Igual que mentirle?

—Algo parecido.

Charlotte se había mantenido al margen y había escuchado con atención por respeto a su amigo. Pero ella tampoco creía tener la más mínima oportunidad de hacer algo contra la luna. El vaticinio de las cartas era claro.

—¿Cómo, Arnaud? ¿Cómo quieres que confundamos a la luna? *C'est impossible!*

—No lo es, Charlotte. Piensa un segundo. ¿Por qué se producen los rumores? ¿Cómo llegan a los oídos de todo el mundo?

La pregunta de Arnaud fue recibida con un silencio, roto solamente por el eco de sus propias palabras en la cueva.

—Los rumores… —se animó a responder Maya dudosa—. Los rumores se producen porque se repiten una y otra vez…

—Exacto. ¿Y qué ocurriría si un rumor no llegara a repetirse?

—Nadie se lo creería, sería tan solo una persona diciendo una tontería. Si nadie más le hace caso, no puede convertirse en rumor —reflexionó Maya exaltada—. ¡No puede hacerse realidad!

—Eso no tiene sentido, Arnaud. ¡Ya es muy tarde! —dijo Charlotte rechazando la idea.

—Si creáramos un rumor falso la misma noche de luna llena, ella no sabría a dónde acudir. Su luz terminaría viniendo aquí, a esta cueva, fuente de todos los rumores, buscando el rumor para hacerlo desaparecer, pero no encontraría nada porque el rumor sería mentira, no existiría.

—Pero es muy arriesgado, Arnaud. ¿Y si lo que hacemos es potenciarlo? Un rumor es un rumor, siempre atraerá la tormenta del Olvido.

—No si creemos firmemente en lo que decimos. Mira lo que le pasó a Ash. No desapareció.

Todos miraron a Ash en ese momento y él se sintió avergonzado, le subió el rubor a las mejillas y miró al suelo.

—Pero no lo entiendo —interrumpió Rudy para atraer la atención sobre sí—. ¿Cómo piensas hacerlo,

Arnaud? ¿Cómo piensas crear un rumor que no es un rumor?

—Para eso os necesito a vosotros, pero solo si estáis realmente convencidos de ello. Quizá la única manera de combatir el Olvido no sea creando un rumor sino diciendo la verdad. La verdad más grande que tengáis. Hay que decirla en voz alta. Gritarla, si es preciso. Si decimos la verdad en el momento en que brille la luna en el cielo, no sabrá si es un rumor, si es una mentira o es una certeza. Será una verdad, una verdad con mayúsculas. Y las verdades con mayúsculas no pueden desaparecer. ¿No lo entendéis? No serviría de nada —y miró a Charlotte fijamente mientras hablaba— si no creemos en lo que estamos diciendo, si no sentimos las palabras vibrar en nuestro corazón. ¿Queréis intentarlo? ¿Nos damos una última oportunidad?

Maya tragó saliva mientras se le humedecían los ojos. El corazón le latía a mil pulsaciones por segundo. Ya no se trataba de recuperar lo que había perdido cada quien y luchar por una causa egoísta. Iban a arriesgarse por la isla entera, por los recuerdos de todos los alumnos del Dumas. No veía causa más noble y motivo mejor por el que intentarlo.

—Cuenta conmigo, Arnaud.

Rudy sonrió ante el cambio que había experimentado su amiga. Sabía que esas ganas de hacer cosas por los demás estaban latentes en Maya. Sabía que esa inclinación vivía oculta en su corazón sin que ella se diera cuenta. Estaba realmente contento de que Maya por fin encontrara su camino. Y ese camino era el mismo suyo.

—«Hasta el infinito y más allá», amigos.

Ash sonrió al escuchar de labios de Rudy aquella frase de dibujo animado. Deseaba estar con ellos, formar parte del grupo, ser uno más; seguir viviendo momentos felices, o tristes, pero siempre con ellos. Se encogió de hombros con las manos en los bolsillos, sonrió todavía más y dio un paso al frente. Con él también podían contar.

—¿Y tú, Charlotte? —Arnaud le tendió la mano, consciente de la batalla que se estaba librando en el interior de su amiga—. ¿Estás con nosotros?

Charlotte cerró los ojos. Sus pensamientos giraban sin rumbo por su cabeza. ¿Quería estar con ellos? Claro que quería, pero le resultaba difícil hacerse falsas esperanzas. Se negaba a sufrir la decepción del fracaso una vez más, a llorar otra pérdida.

Pero ahí estaba la mano de Arnaud, tendida en su dirección, esperándola, necesitándola, urgiéndole una respuesta. Y allí estaban también sus ojos, tan llenos de determinación. Arnaud estaba luchando por ella, porque no quería que perdiera la esperanza. ¿Cómo decirle que no a aquella mirada que la había mantenido con fuerzas durante tanto tiempo? No podía negarse y admitir que ya se había rendido.

En aquellos ojos ella encontraba su fuerza, un motivo sólido para seguir luchando. Charlotte iba a hacerlo por Arnaud. Iba a luchar con él hasta el final. Si su destino era desaparecer en el Olvido, lo haría peleando, intentando construir un futuro sin miedo junto a sus amigos.

—*Toujours avec toi*, Arnaud —dijo sonriendo mientras las lágrimas le empañaban la mirada—. Siempre contigo.

El sol se puso y la cueva quedó completamente en silencio y a oscuras, hasta que la luna apareció por un resquicio del cielo. Las rocas, impregnadas de energía por las corrientes telúricas, comenzaron a brillar, parpadeando como estrellas.

Nadie habló hasta que, traídas por el eco, volvieron las miles de voces de los estudiantes del colegio, haciéndoles volver a la realidad de aquel momento que, por instantes, había parecido eterno.

—¿Sabéis una cosa? —susurró Maya al compás de los murmullos que inundaban la cueva—. No pienso olvidaros. A ninguno de vosotros. Pase lo que pase mañana, nos engulla o no la tormenta del Olvido, yo no os olvidaré. Seguiré caminando con vosotros. Ne obliviscaris. Nunca olvidar. Ese era nuestro lema, ¿no? Pienso llevármelo conmigo hasta el final y repetirlo todas las veces que haga falta. Ne obliviscaris. Hasta que las palabras se hagan realidad.

—Ne obliviscaris —repitió Rudy con una sonrisa pícara.

—Vendremos aquí —dijo Arnaud asintiendo—. Mañana, cuando todo acabe, nos encontraremos aquí. En nuestra cueva. Veremos salir el sol en un nuevo día, sin miedo a la luna, a los rumores o al Olvido. Ne obliviscaris.

—Ne obliviscaris —insistió Charlotte mientras le apretaba la mano—. Ne obliviscaris.

LE CHARIOT

Cerró los ojos antes de separarse de sus amigos. Cuando volvió a abrirlos, ellos ya no estaban. Ash se quedó solo en la cueva y respiró hondo. Las voces de los rumores parecían volar a su alrededor y no quería hacer el esfuerzo de comprenderlas. Tenía que estar preparado, atento, concentrado en percibir las voces de sus amigos. El plan era claro, y su papel resultaba fundamental. Trabajo en equipo. Los cinco eran imprescindibles para evitar la llegada del Olvido. Contaban los unos con los otros. Volvió a cerrar los ojos. Al abrirlos, el sol ya se había puesto.

Había llegado el momento.

Maya tenía que estar en los acantilados del norte de la isla cuando la luna llena se encontrara en su cenit y comenzara a barrer con su luz todo lo que hubiera en su camino. Corría y corría, y sus piernas respondían perfectamente aunque tropezara de vez en cuando con alguna piedra en el camino. Arnaud le había indicado dónde debía estar y ese era el único pensamiento que cabía en su cabeza. Sabía que no le pasaría nada. Contaba con la promesa de sus amigos y tenía la certeza de que no la olvidarían. No corría ningún peligro. Por eso continuó hacia delante a toda velocidad, mientras el viento marino le azotaba la cara. Tenía que llegar cuanto antes.

Rudy recordó que cuando era pequeño, nada más llegar al Dumas, durante los fines de semana de primavera, cuando hacía mejor tiempo y las nubes negras pasaban de largo, los llevaban a la playa del sur de la isla. Ahora debía volver a aquella playa.

De niño le encantaba poner los pies donde rompían las olas y mojarse las zapatillas. Acababa recibiendo reprimendas inmensas y la amenaza de quedarse sin postre durante la cena, pero no le importaba. La sensación de correr junto a la orilla del mar era mucho más divertida que limitarse a hacer castillos de arena. Una vez había creído ver una sirena y comenzó a correr mar adentro vestido porque quería conocerla. Quería pedirle que le llevara con ella.

El recuerdo le dio todavía más fuerzas para enfrentarse a lo que vendría a continuación. Tampoco quería perder esa remembranza, hasta entonces oculta en algún resquicio de su cabeza junto a otros miles de recuerdos. Quería que todos permanecieran en su sitio. Lanzó una carcajada de expectación y aumentó la velocidad de sus zancadas. Llegaría a la playa mucho antes de que saliera la luna.

Arnaud avistó el faro en la distancia y apretó los puños. En su mano derecha sentía la textura de su guante. Sabía que su plan era arriesgado, que estaba poniendo en peligro no solo a sus amigos, sino a la isla al completo. Pero ¿qué más podía hacer? Se trataba de pelear hasta el final o quedarse de brazos cruzados. Y Arnaud siempre había querido dar un paso más, llegar más lejos, ser el mejor. Charlotte admiraba su fuerza de voluntad y él pretendía que ella siguiera estando orgullosa de su carácter. Quería tener un futuro junto a ella en el que no tuvieran miedo, un futuro en el que ambos pudieran reír a carcajadas sin que la sombra del Olvido planease por encima de sus cabezas. Si para eso tenía que arriesgar sus propios recuerdos, lo haría. Se detuvo un segundo y vio la silueta del faro recortarse contra el cielo oscuro. Le quedaba poco para llegar. Quería gritar muy alto para que su voz llegara a los cuatro puntos cardinales.

Primero caminó despacio. Tenía tiempo de sobra para llegar al espigón del este de la isla. Pero de repente empezó a correr. Se encontró mejor al sentirse impulsada por el viento, que se movía de forma disparatada en aquella explanada sin árboles. Se avistaba la tormenta. Una tormenta eléctrica que potenciaría la energía de las corrientes telúricas para que el torbellino del Olvido alcanzara dimensiones no imaginadas.

Charlotte había dejado a un lado su rendición, y también cualquier otro pensamiento. No quería pensar, ni sentir miedo. Solo quería correr junto al viento.

Las cartas no se equivocaban nunca, pero ahora ella anhelaba ser más fuerte que el tarot en el que confiaba desde que tenía uso de razón. Deseaba que se equivocara, que no dijera la verdad.

Pensó que, de la misma manera que los rumores amenazaban con quitarles los recuerdos, no sabía exactamente qué había de cierto y qué de incierto en las cartas. ¿Eran verdaderos sus presagios porque ella les hacía caso?

Quería sentirse libre, quería creer. Igual que lo hacían sus amigos.

Cuando el sol se puso y la luna se levantó llena en el cielo, sacó la baraja de su bolsillo y dejó que el viento se llevara las cartas y las esparciera por doquier. No le importó perderlas.

La carta de el Carro, la única que pudo distinguir en la lejanía, voló por delante de ella hacia el antiguo embarcadero, hasta que la perdió de vista. Charlotte contempló la luna brillando en lo alto. El Olvido estaba a punto de llegar.

El plan de Arnaud parecía, a simple vista, sencillo: crear un nuevo rumor.

Los rumores no eran más que palabras imposibles de probar, pero que, por sí solas, por mera repetición, crecían con la fuerza de una tormenta para después ser olvidadas como si nunca hubieran existido. Los cinco chicos, en mayor o menor medida, incluso antes de que se dieran cuenta de lo que ocurría en el Dumas, habían formado parte de uno, ya fuera como transmisores, como objetos del mismo o como meros oyentes.

Tenían que crear un rumor, pero no uno cualquiera. Se trataba de un rumor que, a la vez, no lo fuera; uno tan ambiguo que la luna no supiera si hacerle caso o dejarlo de lado.

Las palabras de un rumor podían utilizarse para hacer daño, atrayendo consigo la tempestad del Olvido, pero también podían utilizarse para lo contrario: alejar aquella tormenta para siempre.

Arnaud se había pasado la noche en vela, rodeado de libros en la biblioteca, para ultimar los detalles de su plan. Si su estrategia no funcionaba, ninguna otra cosa lo haría, pero nunca podría decirse que no lo habían intentado y que no se esforzaron hasta el final para salvar aquella isla del Olvido.

Solo tendrían que pronunciar en voz alta aquello en lo que más creían. Tenían que decirlo, palabra por palabra, durante la luna llena, a solas, cada uno en un punto diferente de la isla. Así, la luna no sabría a dónde acudir.

Ash permanecería en la cueva, atento a sus voces, pendiente de sus mensajes, preparado para cerrarle la puerta al Olvido en las narices. Mientras esperaba, descomponía el plan de Arnaud. La luna no sabría qué hacer con los rumores que pusieran en marcha sus amigos. El razonamiento en que se basaba el plan de Arnaud podía ser condensado en una pregunta: ¿qué hacer con algo que se siente tan profundamente que lo convierte, de hecho, en una verdad? La luna no podría hacer nada, por eso tendrían que gritarlo. Y tenían que creer fervientemente en lo que decían, para que fuera una realidad antes de ser pronunciado.

Las palabras, consideró Ash, tenían aquel poder por sí mismas. Hacían real lo que no se había dicho por miedo, o por temor al rechazo, o por vértigo, o por cualquier razón. Cuando alguien decía algo en voz alta o lo escribía en su cuaderno, comenzaba a existir, aunque ya llevara mucho tiempo en su cabeza. Todo alcanzaba su verdadera dimensión cuando se expresaba mediante palabras. Los miedos parecían menores cuando se compartían en voz alta, y los sueños se hacían mucho más grandes si se revelaban ante otro.

Había vivido un sinfín de experiencias con sus amigos las últimas semanas. Intercambiaron opiniones, miedos y sensaciones, y ahora estaba seguro de conocerlos. Compartir tanto los había hecho más fuertes. Los lazos de su amistad eran cada día más estrechos, y tenía sentido que compartir la verdad más grande que guardaban fuera el modo más efectivo de acabar con el Olvido.

Maya llegó a los acantilados sin aliento. El viento le cortaba los labios y hacía bailar su cabello largo y lacio en todas las direcciones. Se detuvo en el borde del precipicio, desde donde veía las olas que se rompían muchos metros por debajo, y se sintió preparada. Cerró los ojos y pensó en lo que iba a gritarle a la luna. No tenía dudas. Sabía perfectamente lo que clamaría. Abrió los ojos y sonrió. A la luna le faltaba poco para llegar a su cenit.

Rudy estaba de pie en el rompeolas. La luna reflejaba su brillo plateado sobre la superficie ondulante del agua y él no la perdía de vista. Le resultaba extraño que algo tan grande y magnífico como la luna representara un peligro, pero luego rectificó: el satélite no constituiría peligro alguno si él no creía que fuera a serlo. Las personas y sus sentimientos eran más fuertes que cualquier brillo endiablado, que cualquier murmullo ensordecedor. Era lo que uno sentía lo que prevalecía en el tiempo. Miró al cielo y sonrió. Casi había llegado el momento.

Extenuado, Arnaud alcanzó el último piso del faro tras subir los escalones de dos en dos. Siempre había disfrutado la vista que se percibía desde allí. De día se contemplaba todo el verdor de aquella isla, con el colegio apenas visible entre las copas frondosas de los árboles del bosque circundante. Y en las noches despejadas se veía el espectáculo de las estrellas acunadas por el arrullo del mar.

Tomó aliento y se extasió ante el paisaje. Era exactamente como recordaba. Decidió que no le temía a la luna, aunque ya se hubiera llevado su halcón e incluso su mano. Sabía que se mantenía en pie porque no estaba solo. Y eso la luna jamás podría arrebatárselo.

El primer pensamiento de Charlotte al poner el pie sobre el embarcadero tenía relación con su hermana. ¿Volvería a verla? ¿Reconocería sus facciones, la forma de su cara? No lo sabía, pero eso dejaba de importar al tener la certeza de que seguía viva, de que a lo mejor habían compartido mesa en el comedor sin saberlo. Y ahora tenía la fortaleza necesaria para recuperarla. Sus amigos se la propinaban. Ellos no habían permitido que desfalleciera, y ella tampoco iba a fallarles.

La luna estaba en lo alto del cielo y Charlotte sonrió al recibir su brillo en la cara. Ya no le temía. Por eso gritó con todas sus fuerzas. Gritó y su voz resonó en cada uno de los rincones de aquel lugar abandonado. Sabía que alguien la estaba escuchando.

Ash distinguió sus voces con claridad. No supuso ningún esfuerzo. La voz jovial y siempre amable de Rudy, el tono grave y pausado de Arnaud, la cantarina y algo acelerada voz de Maya, o la de Charlotte, profunda y gutural, como la de una actriz de cine de los años treinta.

Tenía los ojos cerrados y recibía los mensajes de sus amigos como si los tuviera delante. No habían acordado nada, ninguno se había pronunciado acerca de qué gritarle a la luna porque cada uno tenía sus propios deseos y motivaciones, cada uno era el único dueño de su fuerza, y solo ellos, en su interior, sabían qué les hacía conservar la esperanza y seguir adelante.

Ash no se sorprendió al escucharles decir lo mismo a los cuatro. Usaron palabras distintas, pero, en definitiva, decían lo mismo. Sus amigos, y él con ellos, compartían los mismos deseos y aspiraciones.

Abrió los ojos y sonrió bajo la luz de la luna. Se sentía valiente, lleno de energía. Los rumores y las corrientes telúricas le habían traído a la isla de Bran y al Colegio Dumas, pero eran sus amigos quienes, al final, habían hecho de él una realidad, un ser completo.

Comprendió que su fin era inevitable y que las cartas de Charlotte no se habían equivocado. Suspiró. Desde lo más hondo le subió una bocanada de aire con sabor a lágrimas. Supo que él era el destinado a terminar con el Olvido y que, para hacerlo, pondría fin a su propia existencia. Al fin y al cabo, era un rumor, y los rumores solo existían hasta que el Olvido llegaba a barrer la superficie de la isla. Si el Olvido sucumbía, caería junto a él. Era su destino.

Pensó en sus cuatro amigos: en Rudy, con su gorra y su eterna sonrisa; en Arnaud y sus gafas metálicas, y en su agudeza para entender siempre qué estaba ocurriendo. También pensó en Maya y en su energía contagiosa, en sus ganas de llegar al fondo de las cosas. Y en Charlotte, en su inteligencia revelada por el brillo de sus ojos azules, y en la paciencia, la cordura y la templanza que demostraba en todo momento. No le importaba sacrificarse por quienes le habían llevado a descubrir el significado de estar vivo.

Levantó la cabeza y encaró a la luna. A él y a nadie más estaba buscando desde lo alto. Apretó los puños y sintió cómo la oscuridad del Olvido comenzaba a descomponerle. Aguantaría, tenía que resistir todo el tiempo posible para que sus amigos siguieran proclamando sus mensajes.

Aunque el Olvido se lo llevara, él no desaparecería del todo, pues seguiría vivo en los recuerdos de sus amigos. Viviría a través de ellos y vería el mundo a través de sus recuerdos.

Cerró los ojos y apretó los dientes al sentir que la tormenta del Olvido amenazaba con arrebatarle del sitio, con levantarle por los aires e impedirle luchar. Pero por muy rápido que atacara el viento, por muy potentes que estallaran los rayos de la tormenta, Ash sabía que sus amigos luchaban, y a lo único que respondía era a sus voces. En ellas también estaba su nombre, y pensó, mientras absorbía dentro de su cuerpo la fría oscuridad del Olvido, que aquel final estaba bien, que se iba agradeciendo haber escuchado los deseos más profundos de sus amigos.

Levantó la cabeza de nuevo y la luna brilló en sus ojos. Estaba preparado. Ella también pronunciaba su nombre. Lo único que le quedaba era aceptar su destino y acoger aquella luz. La observó fijamente y supo que habían ganado la batalla: la luz plateada del Olvido nunca volvería a irrumpir en los pasillos del colegio.

Cuando su cuerpo absorbió hasta la última gota de Olvido, se limitó a desear que sus amigos llegaran a tiempo a la cueva para despedirse antes de desaparecer para siempre.

LES ENFANTS DE LA VOIX

Cuando el viento dejó de soplar, Rudy cayó de rodillas al suelo. Estaba agotado. La garganta se le había cerrado, la cabeza le daba vueltas y sentía el sabor agrio del desgaste de sus cuerdas vocales en el velo del paladar. No podía más, pero seguiría gritando si era necesario, seguiría hasta agotar sus fuerzas.

Miró al cielo y se fijó en la luna. Se había movido del sitio donde estaba la última vez que la vio. Se palpó a sí mismo como una forma de comprobar que el plan había surtido efecto. No sintió nada. No experimentaba ningún cambio en su cuerpo.

Cerró los ojos, apretándolos con fuerza, y se entregó a recordar: el día en que Ash había llegado al colegio, cómo le había enseñado las instalaciones y le había presentado a sus compañeros, la vez que había estado a punto de ser tragado por el Olvido… Todo. No había perdido ni uno solo de sus recuerdos.

Rudy se levantó y echó a correr. Tenía que encontrarse con sus amigos en la cueva.

A pesar del empeño que puso en su carrera, fue el último en llegar. Arnaud se palpaba la garganta. Tenía la mano derecha apretada en su puño enguantado y, de vez en cuando, le echaba miradas furtivas. Maya, inquieta, se retorcía las manos por delante de la falda del uniforme.

No percibía bien el cambio porque la cueva estaba más oscura que de costumbre, pero las paredes de roca habían dejado de brillar. Dio un paso. Charlotte se mantenía callada mirando al mar y, de pronto, se dio la vuelta. Tenía los ojos cargados y el pelo color violín en desorden. Estaba sentada en un saliente de roca y respiraba con dificultad, como si le faltara el aire.

Rudy trató de aclarar sus pensamientos.

Recordaba que, cuando miró a la luna desde la playa y la vio brillar en lo alto del cielo, dijo lo primero que se le vino a la mente. No le costó mucho trabajo, porque era lo que hacía siempre: nunca pensaba en sus palabras. Todo lo que decía, y era mucho, le venía directo desde el corazón. Y a veces desde el estómago.

—No voy a desaparecer.

Comenzó bajito, algo atemorizado. Pero cuando las primeras palabras salieron de su boca, sintió el mismo frío intenso que le había helado los huesos al mirar a los ojos de Ash, poseído por la luna nueva, varias noches atrás. La sensación le confirmó que hacía lo correcto.

—No voy a desaparecer. Ninguno de mis amigos va a perderse en el Olvido.

A su alrededor comenzó a soplar un viento huracanado que amenazaba con levantarle del sitio. Su gorra salió volando, pero él, concentrado en su mensaje, no lo notó. Tuvo que agarrarse a una roca de la playa para no salir despedido.

—No voy a desaparecer. Ninguno de mis amigos va a perderse en el Olvido. No voy a perder mis recuerdos. Nadie va a olvidarme.

Hasta que sintió el brillo de la luna sobre su cuerpo. Fue como si el foco de un escenario le alumbrara, pero despidiendo una fría y desagradable ráfaga de luz.

—No voy a desaparecer. Ninguno de mis amigos va a perderse en el Olvido. No voy a perder mis recuerdos. Nadie va a olvidarme. ¡La isla de Bran no sucumbirá ante el Olvido!

Gritó. Con cada repetición se sentía más fuerte. Y sus gritos se hacían más potentes. Creía fervientemente en su declaración. Sentía que alguien le escuchaba, que Ash, su mejor amigo, estaba atento a sus palabras. Quería que él supiera lo que pensaba.

—¡No voy a desaparecer! ¡Ninguno de mis amigos va a perderse en el Olvido! ¡No voy a perder mis recuerdos! ¡Nadie va a olvidarme! ¡La isla de Bran no sucumbirá ante el Olvido! ¡Venceremos!

De pronto, el viento dejó de soplar y la luz de la luna ya no le deslumbraba. Esperó un tiempo antes de abrir los ojos. La luna había pasado de largo, parecía haberse llevado consigo la tormenta.

En sus recuerdos, parecía que todo había salido bien, pero hasta que no lo compartieran, hasta que no comprobara con sus propios ojos que tanto sus amigos como el resto de la isla estaban a salvo, no se quedaría tranquilo.

Respiró hondo y se acercó a ellos. Todos le miraron, pero ninguno se atrevió a pronunciar palabra alguna.

—¿Ya está? —preguntó. El eco no osó repetir su pregunta—. ¿Lo hemos hecho? ¿Hemos terminado con el Olvido?

—No lo sé —respondió Charlotte mientras se adelantaba hacia ellos—. Pero...

—... pero hay una sensación rara —continuó Maya—. Yo también la percibo.

—Solo hay una manera de comprobarlo.

La mirada de Arnaud al pronunciar aquellas palabras estaba llena de determinación. Él sabía cómo comprobar la eficacia de su plan: alzó la mano enguantada y tomó una profunda bocanada de aire. Miró a sus amigos, que le devolvieron la mirada. Pensó que no valía la pena esperar y se arrancó el guante a gran velocidad.

Con el movimiento, la cueva estalló en un rugido sordo y se inundó de luz. El efecto visual fue tan intenso que todos se vieron obligados a cerrar los ojos.

Cuando la luz se disipó, la mano de Arnaud estaba en su sitio.

Lo habían conseguido. Habían recuperado todo lo que había borrado el Olvido.

Pero cuando Rudy iba a estallar en vítores de alegría para proclamar su victoria, se dio cuenta de algo. Mientras la mano de Arnaud se dibujaba de nuevo, la silueta de Ash sufría el proceso contrario.

—¿Qué ocurre? ¡Ash! ¿Qué te pasa?

Ninguno respondió. No hacía falta, pues Rudy sabía perfectamente qué le estaba ocurriendo a su amigo. Sin embargo, se resistía a aceptarlo. No quería que Ash fuera el precio que tenían que pagar por haber terminado con el Olvido. No quería perderlo.

—¡No es justo! —gritó enfadado, con voz casi infantil—. No es justo que te tengas que ir. ¡No quiero que desaparezcas!

Ash no dijo nada. Sonrió y le guiñó un ojo. Maya comenzó a sollozar y Arnaud y Charlotte se abrazaron. Ellos tampoco querían perderlo. Las lágrimas surgieron de los ojos de Rudy y cayó de rodillas al suelo. Sabía que era inevitable, pero no estaba preparado para aceptarlo. Ash podría haber nacido como un rumor, pero, a su juicio, no lo era.

—¡Eres una persona, Ash! —gritó entre sollozos—. ¡No eres un rumor!

Ash había crecido, aprendido y convivido con ellos. Era su amigo. No era como un rumor sobre ropa rosa o sobre notas en un examen.

Rudy se levantó de un golpe y corrió hacia él. Al abrazarle, sintió que tenía una nube de vapor entre los brazos, sin peso ni volumen. Aun así, se aferró.

Le habría gustado decirle que no pasaba nada, que volverían a encontrarle. En su corazón estaba seguro de que así sería, pero no quería arriesgarse a decir una mentira y, además, tenía un nudo en la garganta que le impedía hablar.

—No me olvides —susurró Ash.

Entonces, se descompuso en un millar de puntos luminosos que volaron como luciérnagas alrededor de la cueva y hacia el mar.

En la lejanía se escuchó el graznido de un halcón. Los primeros rayos de sol aparecieron tras el horizonte y el olor a salitre inundó la cueva.

Acababa de llegar un nuevo día.

LA ISLA DE BRAN

El bote se agita cuando posas los pies y tienes que extender los brazos y ponerlos en cruz para mantener el equilibrio. Cuando lo haces, el viento te da de lleno en la cara. El barquero está subiendo tu equipaje y la tarea de mantenerse en pie y no caer al mar es más difícil de lo que parece, así que decides sentarte y esperar a que la barca comience su marcha.

La isla de Bran. No has oído hablar nunca de la isla de Bran, pero algo en tu cabeza te dice que la conoces. Está ahí, frente a ti, con su silueta dibujándose a lo lejos, y tú sientes como si ya hubieras estado allí. Como si conocieras todos los recovecos del único edificio que se levanta sobre ella.

Es una sensación inquietante, porque cuando cierras los ojos y vuelves a abrirlos sientes que has olvidado algo, como si acabaras de despertar de un sueño profundo en el que te estaban diciendo algo importante.

Esa es precisamente la sensación. La de haber olvidado algo importante. Y sabes que no te sentirás tranquilo hasta descubrir de qué se trata.

Respiras hondo y te abrochas el abrigo hasta arriba. Es hora de comenzar el viaje. El barquero hace un gesto de asentimiento y tú se lo devuelves. Se coloca detrás de ti y comienza a remar. No estás seguro, pero te parece ver sobrevolar un halcón por encima de la isla.

Además, a pesar de que en el bote solo vais el barquero y tú, sientes que no estáis solos. Te da la sensación de que viajas con alguien más, de que alguien te acompaña en tu trayecto. No sabes quién es, ni siquiera sabes si lo conoces, pero sabes que está contigo.

La noche es serena y tranquila. El mar susurra su canto habitual y las olas apenas se elevan dos palmos sobre la superficie. Está a punto de amanecer. Te recuestas sobre las tablas y respiras hondo. La isla de Bran. Te resulta tan nuevo ese nombre, pero tan familiar…

El faro de la isla ilumina de vez en cuando vuestro trayecto con su luz amarillenta. Cuentas mentalmente cada vez que te deslumbra, pero nunca te salen los mismos segundos entre una vuelta y otra. Te resulta gracioso. Miras al horizonte y te sobrecoges. Estás impaciente por llegar. Sigues convencido de que ya lo has visto todo antes. Una vez, en un sueño. Pero ¿cuándo? ¿Por qué no lo recuerdas? Y lo más importante: ¿por qué lo has soñado?

Pero son preguntas para las que no tienes respuesta. Solo sabes que es urgente que llegues, sientes que esa isla es el lugar donde tienes que estar. Te alegras de estar yendo, con un sentimiento más profundo que mero regocijo. Quizá sea un deseo, sí, quizá sea eso.

Entonces, cuando el faro vuelve a deslumbrarte, ves algo en la superficie del agua que llama tu atención. Pones la mano como visera sobre tu frente. No distingues nada. Esperas a que el faro vuelva a iluminarte y ahí está, otra vez. Crees distinguir su forma, pero no estás seguro... Y te surge la necesidad de recogerlo.

Le haces un gesto al barquero para que vire a estribor y él obedece. Sonríes. El mar está tranquilo, apacible, y ahora distingues la forma sobre la superficie. Es una gorra. Una gorra de béisbol. Cuando la barca llega a ella, te inclinas y la recoges. Mojada como está, la sostienes sobre tu regazo y sientes subir desde el estómago un calor agradable, una placentera alegría.

Sabes a quién pertenece esa gorra. Acabas de recordarlo todo. Vas hacia la isla de Bran. La luna llena brilla en lo alto. En pocos minutos volverás a ver a tus amigos.

agradecimientos y recuerdos

A Ana, porque la vida sin ti no sería tan divertida.

A Paz, porque ella me obligó.

*A mi familia, porque aprendió que para mí escribir
era mucho más que un juego y lo respetó
desde el primer momento.*

*A mis amigos, porque permitieron que les robara
gran parte de su tiempo conmigo para escribir
y aun así me siguen queriendo.*

*A Isabel Martí y a todo el equipo de la agencia literaria
IMC, porque soportan siempre con buen humor
mi tanda infinita de e-mails histéricos.*

A Pilar Galán, gran escritora, mentora y, sobre todo, amiga.

A Montaña, Azahara, Pilar y Rosa, por nuestras sesiones de cinco a las cinco.

A mis compañeros y alumnos, porque son una inspiración constante.

A mis compañeros de Relaciones Internacionales, por seguir considerándome un miembro del equipo.

A Vanesa, que me echó una mano con el francés.

A Georgia, Nieves y María, que me ayudaron con la biografía.

A todos los Nanofrikis, porque hace ya mucho que nos embarcamos juntos en este viaje.

A mis blydenses, por tantas y tantas letras compartidas.

A los asiduos a mi blog, porque son una compañía insuperable.

A mi f-list, porque es awesome.

A ti, que has llegado hasta aquí.

ÍNDICE

Sé que estás allí

Lydia Carreras de Sosa

ALANDAR +12, n.º 118. 214 págs.

«Voz de pito», «pichón», «flautín», «corneta». Los insultos resuenan en los oídos de Rosendo Moncadas. Su trastorno de las cuerdas vocales le ha convertido en el blanco de las humillaciones y el acoso de Lautaro, tres años mayor que él. Aunque creía tener su vida bajo control, advierte que empieza a ser un infierno: ha enfermado, evita a sus amigos y suspende los exámenes. Además, teme revelar su pesadilla a sus padres o a sus profesores, pues no quiere que le tomen por un cobarde. Rosendo está desmoralizado y no ve ninguna salida, hasta que, de repente, se le presenta una solución inesperada.